Caroline Plaisted

10 cose da fare prima di compiere 16 anni

Traduzione di Francesca Manzoni

PIEMME Junior BESTSELLER

1 Un compleanno deprimente

– Com'è possibile che, a quindici anni, io sia ancora così patetica? – mi stavo lamentando.

Era sabato sera, il giorno del mio compleanno. Ed ero forse in giro per locali, con i miei amici e indosso l'ultima tendenza in fatto di jeans?

Ovviamente no!

Ero a casa, chiusa in camera con la mia amica Anna, e stavamo ascoltando un concerto su Internet.

Zero ragazzi. Zero vestiti firmati. Zero locali trendy.

– Scommetto che Frankie non rimane chiusa in casa il sabato sera – ha detto Anna.

Frankie Martinetti, la ragazza più popolare della nostra scuola. Bellissima, elegante, firmata, con le gambe chilometriche e i capelli lucidi: è assolu-

tamente inconcepibile che non esca il sabato sera. È il tipo di ragazza che i buttafuori lasciano entrare gratis nei locali. Lo so bene, infatti a scuola l'ha raccontato a tutti.

Ah, certo, questa è un'altra caratteristica di Frankie: è un'esaltata, anche perché tutti i ragazzi della scuola le vanno dietro.

– Hai ragione – ho risposto ad Anna con disgusto, lasciandomi cadere sul letto. – E scommetto anche che i suoi genitori non le dicono che è troppo piccola per uscire con i suoi amici la sera del suo compleanno...

Vedete, in realtà io e Anna avevamo avuto un'idea grandiosa per festeggiare degnamente: volevamo andare da Cheeky Pete, il nuovo locale aperto in città. In teoria, l'ingresso sarebbe riservato ai maggiorenni, ma Frankie c'era già stata con Trish, Vic e Sylvie (meglio conosciute - per me e Anna - come le "frakiette"). Naturalmente poi si erano assicurate che a scuola lo sapessero tutti... Avevano ripetuto ininterrottamente per giorni quanto era stato facile entrare, perché loro sono così sofisticate e trendy. Quanto fossero perfette per il locale, e come ognuna di loro avesse conosciuto ragazzi più grandi. E come, poi, erano state accompagnate a casa con una macchina decappottabile. E come tutte, infine, dopo quella serata, erano state invitate fuori.

Era così ingiusto!

Perciò, per il mio quindicesimo compleanno, io e Anna avevamo studiato un piano perfetto: avremmo detto a mia mamma che saremmo andate al cinema e poi a mangiare una pizza. In realtà, ovviamente, saremmo andate da Cheeky Pete. Semplice, no?

Invece mia mamma aveva detto: «Che bella idea, Beth! Prenotiamo i biglietti. Cosa vorresti andare a vedere?».

Ero sbalordita. «Cosa?! Pensi che io e Anna vogliamo andare a vedere un film con te, papà e mio fratello?» *Soprattutto visto che vogliamo andare da Cheeky Pete?*

Mio papà era subito intervenuto: «Non ti permettere di parlare con questo tono a tua madre!».

E io sono così patetica e inutile, che invece di andare da Cheeky Pete per il mio compleanno, sono finita, con Anna, al cinema insieme a tutta la famiglia. Per fortuna almeno la pizza non era male.

Certo, però, non è esattamente un compleanno da raccontare a scuola, vero?

– *Dobbiamo* fare qualcosa – ha detto Anna all'improvviso.

– Cosa?

– Cose – ha borbottato masticando una gomma. – Se la mia vita continuerà a essere così vuota e inutile, credo che morirò.

– Ah, certo. Passami una rivista, ti spiace? – ho risposto. Se non potevo andare in giro a fare quello che desideravo, volevo almeno sognare di farlo guardando gli altri.

Ho sfogliato velocemente le pagine piene di gente famosa. Avevo già letto la rivista due volte, non c'era niente che mi potesse sorprendere. O almeno era quello che pensavo. Poi ho visto per caso la pagina della posta dei lettori. C'era la foto "prima" di una ragazza piuttosto banale, con indosso dei vestiti inguardabili. Nella foto "dopo", invece, dopo aver bruciato i suoi vecchi vestiti e aver fatto un giro di shopping, la stessa ragazza era diventata una tipa interessante e con molta personalità.

– Trovato! – ho lanciato l'articolo ad Anna. – Ho capito cosa dobbiamo fare!

– Cosa? – mi ha chiesto Anna guardando l'articolo. – Versarci della vernice sui pantaloni? I nostri genitori sarebbero davvero contenti!

– No, non capisci! – ho risposto con entusiasmo. – Non vedi? Tutti a scuola fanno delle cose interessanti tranne noi…

– Ah, e secondo te non me n'ero accorta? – ha sospirato Anna lanciando a terra la rivista e rannicchiandosi nel sacco a pelo.

– Ascoltami bene! – ho continuato sempre più convinta. – Tra esattamente dodici mesi compiamo sedici anni, giusto?

– Beh, io tra undici mesi – ha precisato Anna. Il mese prima aveva fatto la sua festa di compleanno nella nuova serra dei suoi genitori (c'era pure sua nonna… ma per piacere!).

– Ok, ok, il punto è che abbiamo ancora dodici mesi per prepararci. Se vuoi, a sedici anni puoi lasciare la scuola e cominciare a lavorare!

– E allora? – ha risposto Anna. Capivo però che la cosa cominciava a incuriosirla, perché s'era messa seduta.

– Allora, solo noi possiamo fare qualcosa – ho detto.

– Fare cosa? – ha chiesto.

– Dobbiamo cambiare le nostre noiose vite! – ho esclamato. – È tutto scritto in questa rivista!

Anna mi guardava senza dire una parola.

– Insomma, – ormai non mi fermava più nessuno – tutte le ragazze della nostra età fanno delle cose che noi ci stiamo perdendo!

– Tipo ragazzi e locali?

– E vestiti decenti, e capelli a posto… un sacco di roba!

– Non serve che rigiri il coltello nella piaga – ha sospirato Anna toccandosi i capelli. – Cosa credi che possiamo fare?

– Facciamo una lista! – ho esclamato saltando giù dal letto in cerca di un pezzo di carta e di una penna, in quel macello che era la mia scrivania.

– Di tutte le cose che non abbiamo fatto? – mi ha chiesto.

– Sì! – ho risposto. – E di quelle che dobbiamo ancora fare!

– Cose che bisogna fare prima di compiere sedici anni – Anna ha sorriso. – Adesso ho capito!

– Esattamente. Allora, da dove si comincia?

Alcuni minuti dopo ero lì seduta, con il mio pezzo di carta decorata con i disegni di Holly Hobby (perché secondo mia mamma erano... "deliziosi") e una penna.

– Prima cosa i capelli, giusto? – ho chiesto ad Anna.

– Assolutamente – ha dichiarato lei.

– Lunghi o corti?

– Lunghi naturalmente! Un po' come quelli di Beyoncé. Pensa, lunghi, lisci, morbidi, lucidi… –.

Mentre mi spiegava, Anna faceva degli ampi gesti intorno alla testa.

– Pensi davvero che potremmo farcela? – ho chiesto perplessa, passando le dita tra i miei (noiosissimi) capelli marroni.

– Abbiamo un anno! Un sacco di tempo! Possiamo anche fare dei trattamenti di bellezza – ha risposto Anna fiduciosa.

– C'è solo un problemino – le ho fatto notare. – I trattamenti costano cifre astronomiche e noi non abbiamo un centesimo.

– Non essere così pessimista! – ha detto. – Non abbiamo nemmeno cominciato. Possiamo prendere un libro in biblioteca e farceli da noi. Sono sicura d'aver letto da qualche parte che per rendere i capelli lucidi si possono usare cose molto economiche, come l'olio d'oliva e le uova.

– Davvero? – ho chiesto un po' dubbiosa.

– Scrivi, Beth! Su, dammi la lista –. Anna mi ha strappato di mano il foglio e ci ha scarabocchiato sopra qualcosa. – Numero due?

– Mmmmhhh – ho pensato intensamente. – Ci sono talmente tante cose che non facciamo che è difficile trovare qualcosa che non dovrebbe essere sulla lista! Però so che con indosso un paio di jeans vorrei somigliare a Christina Aguilera.

– Oppure a Britney! – ha detto lei. – Sì! Assolutamente! – ha scritto come un fulmine.

Ho riso. – Ok, cosa mi dici se impariamo a camminare con i tacchi alti?

– Tacchi *molto* alti! Numero tre!

La cosa stava diventando divertente. Finalmente il mio deprimente compleanno cominciava ad avere un senso!

2 Nove mesi dopo

Adesso fate un salto in avanti di nove mesi. Non fraintendetemi, io e Anna non siamo così patetiche che stiamo ancora pensando a cosa dovrebbe esserci sulla lista. Certo abbiamo cambiato alcuni dettagli, ma la nostra lista è a posto. Abbiamo anche iniziato a darci da fare. Per esempio, abbiamo cominciato a farci crescere i capelli. Ormai quindi dovremmo essere praticamente perfette, giusto? Ehm, ecco... veramente, siamo uguali a come eravamo un anno fa. Solo con i capelli un pochino più lunghi!

Va bene, lo ammetto, non ci siamo dedicate molto alla lista. Di lì a tre mesi avrei compiuto sedici anni e non ero neanche lontanamente la tipa super che sarei dovuta essere...

Era domenica pomeriggio. Una noiosa domenica pomeriggio. Il tipo di domenica in cui i tuoi genitori dormono sul divano dopo che hanno predicato l'importanza di arricchire lo spirito leggendo il giornale invece che guardare la TV. Guardateli, mio papà s'è addormentato con il giornale in faccia e mia mamma si è addormentata e basta. E russano pure, tutti e due!

Will, il mio insopportabile fratellino, ha preso possesso della TV per giocare alla PlayStation.

Io mi sono rifugiata in camera mia. Sono rimasta sdraiata sul letto per un po' chiedendomi quando, esattamente, la mia vita avrebbe cominciato a diventare un po' interessante.

Allora ho cominciato a ripensare al mio scorso compleanno e alla famosa lista che io e Anna avevamo scritto. All'inizio l'avevo attaccata sull'anta del mio armadio, così ogni volta che l'aprivo era lì davanti a me. Ma era da un po' che non la vedevo. Doveva essere caduta.

Non potevo però davvero affrontare un altro compleanno "pizza e cinema". Se fosse successo avrebbe significato che non era cambiato assolutamente niente nella mia vita da quando avevo quattordici anni. Quindi mi sono alzata e ho aperto l'armadio. La lista era lì dentro, in un angolo, tutta stropicciata. L'ho stesa un po' e me la sono riguardata:

DIECI COSE CHE ANNA E BETH DEVONO FARE PRIMA DI COMPIERE SEDICI ANNI:

1. Avere capelli fantastici
2. Anna: Farsi i buchi nelle orecchie
   Beth: Farsi un tatuaggio
3. Comprare e indossare (senza cadere) un paio di scarpe con il tacco a spillo
4. Uscire con i due ragazzi più belli della scuola, Greg e Baz
5. Trovare un lavoro e guadagnare un sacco di soldi
6. Entrare in un locale
7. Avere gambe abbronzate e depilate
8. Avere un décolleté perfetto
9. Avere unghie fantastiche
10. Essere interessanti e sofisticate

Ci era sembrata un'idea fantastica, la lista. A essere proprio sinceri, con il mio compleanno che si avvicinava a passi da gigante, mi sembrava ancora una buona idea. Anzi, un'ottima idea. Così ho preso il telefono e ho chiamato Anna.

– Beth! Mi devi proprio ricordare, in quello che probabilmente è il giorno più noioso della settimana, quanto anch'io sia noiosa? – ha piagnucolato la mia migliore amica al telefono.

– Stai zitta un attimo, Anna! Sto solo dicendo che abbiamo ancora un po' di tempo per fare le cose sulla lista – ho ribattuto.

– Che lista... Oh! *Quella* lista. Credevo dovessimo fare tutto *prima* di compiere sedici anni. Beh, io compio sedici anni tra due mesi!

– Lo so – ho ammesso, sentendomi un po' in colpa.

– Comunque, – ha continuato Anna – potremmo darle un'altra occhiata...

– Allora siamo d'accordo! Da te o da me? –. Ero tornata subito di buon umore.

– Qui c'è mio fratello che guarda la partita di calcio con un branco di suoi amici...

– Neanche a parlarne – ho sghignazzato. Sapevo che Anna non sopportava d'avere intorno un gruppo di ragazzi che guardavano la partita senza scarpe, e con i piedi non proprio profumati. – Ci vediamo qui tra dieci minuti!

Per fortuna Anna non abita troppo lontano ed è arrivata da me ancora prima che il bollitore dell'acqua fischiasse. Mentre lei si sistemava, io ho preparato due tazze di caffè solubile. Quando sono entrata in camera con il vassoio era sdraiata sul mio letto.

– Ho visto che hai recuperato la lista – mi ha detto prendendo il foglio. – La mia, l'avevo tenuta nel diario.

– Allora, da dove iniziamo? Con i capelli siamo già a buon punto, no? – ho detto speranzosa.

– Beh – mi ha risposto Anna scettica. – Sono più lunghi, certo, però sono sicura che potremmo ottenere un risultato migliore. Voglio dire, *guarda*...

Si è spostata una ciocca di capelli che le cadeva sugli occhi e se l'è scompigliata. – Non sono proprio come quelli di Beyoncé, vero?

Non potevo che essere d'accordo. E la mia chioma marrone era persino peggio. – Beh, potremmo fare delle cure, no? Quella cosa che avevi letto con le uova e l'olio...

– Ok – ha risposto Anna mettendosi seduta, molto più entusiasta di quando era arrivata. – E potremmo anche provare a dargli una forma. Tantissimi parrucchieri fanno sconti agli studenti. Cos'è la seconda cosa sulla lista? – e ha scorso il foglio. – Buchi alle orecchie... non c'è problema. Ah! E tu devi farti il tatuaggio!

Sono sobbalzata. – S-sì…

Un tatuaggio.

Nove mesi fa mi era sembrata una grande idea. Io i buchi alle orecchie li ho già, quindi non aveva senso metterli nella mia lista. Ma un tatuaggio… Improvvisamente mi sembrava una cosa molto dolorosa.

Prima che potessi pensarci troppo, però, Anna stava di nuovo consultando la lista.

– Le scarpe! – ha esclamato lanciando la lista sul letto.

– Ah, già, le scarpe con il tacco a spillo – ho risposto. – Ce ne sono di belle da morire da Sole Mart.

– Certo, come no – ha detto Anna. – Tutte le scarpe di quel negozio sono belle da morire. Ma qualcuno dovrebbe morire davvero e lasciarci un sacco di soldi perché noi potessimo permettercele!

– Cosa vuoi dire? – ero un po' irritata dal suo sarcasmo.

– Voglio dire che dobbiamo trovare un negozio un po' più economico – ha risposto decisa.

– Tipo? – mi sono chiesta a voce alta. – Non so per la tua, ma per mia mamma le scarpe non sono esattamente in cima alla lista delle priorità, e sicuramente le scarpe con i tacchi a spillo non rientrano nella sua categoria di scarpe comode. Quindi non possiamo saccheggiare il suo armadio.

– Il mercatino delle pulci – ha detto Anna furbescamente.

– E dove sarebbe? – ho chiesto. – Non l'ho mai sentito nominare.

– Il mercatino che c'è vicino alla stazione. Scommetto che la tipa che ha tutti quei fantastici vestiti ha anche le scarpe che fanno al caso nostro!

Anna aveva ragione. Eravamo state al mercatino un paio di volte, c'era sempre una tipa assolutamente pazza, con dei capelli incredibili e un'ugualmente incredibile collezione di vestiti e gioielli. Non ricordavo d'aver mai notato delle scarpe, però sembrava sensato che ne avesse, da qualche parte nella sua bancarella.

– Sei un genio! Andiamo la settimana prossima?

– Che ore sono? – mi ha domandato Anna. Lei ha una vera e propria avversione per gli orologi. Dice che non sono per niente di moda. Quindi è sempre in ritardo. O almeno lo è quando ha appuntamento con me.

– Sono le tre – ho detto. – Perché? Devi già andare a casa?

– No –. Anna è balzata in piedi e ha afferrato il

cappotto. – Andiamo! Siamo ancora in tempo per beccarla!

– Beccare chi? – ho chiesto afferrando il mio cappotto da dietro la porta.

– La tipa del mercatino!

Non solo era ancora là, ma aveva davvero anche delle scarpe. Alcune erano assolutamente inguardabili: delle zeppe oscene degli anni Settanta, o dei raccapricciant stivali di gomma degli anni Sessanta.

Anna però è riuscita a trovare dentro una scatola due paia di scarpe con il tacco a spillo.

Uno era inverosimilmente alto, con una punta esagerata. Era proprio quello che ci serviva, peccato che fosse bianco!

– Non esiste che io vada in giro con delle scarpe bianche con il tacco a spillo! – ho strillato.

– Possiamo sempre tingerle! – ha suggerito Anna, che stava cercando in tutti i modi di mettersele e non voleva arrendersi. – Sono troppo piccole. A te vanno?

Mi andavano bene, sì, anche se non facevano un grande effetto con i calzini.

Lei intanto ne ha provato un altro paio, nero con un diamantino sul tacco. Non sapevo quale dei due fosse peggio.

– Ehi, queste sono perfette! – ha esultato Anna spingendo il piede dentro le scarpe nere come una delle due sorellastre di Cenerentola. – Quanto per tutte e due?

– Adesso tutto quello che dobbiamo fare – ha detto più tardi mentre tornavamo verso casa sua – è esercitarci a camminare come Sarah Jessica Parker!

3 Beccate!

– Secondo te di chi erano queste scarpe? – ho chiesto mentre entravamo in casa di Anna. – Voglio dire, credi che siano... *pulite*?

– Pulite? – ha sbuffato lei. – Certo che sono pulite!

– E se ci prendessimo le verruche?

– Non ci avevo pensato. Che schifo! –. Ha arricciato il naso. È rimasta zitta per qualche minuto, poi mi ha preso sottobraccio. – Sai cosa facciamo? Quando arriviamo da me le disinfettiamo con la candeggina. Dovrebbe bastare.

E l'abbiamo fatto. Di nascosto, abbiamo portato la candeggina in camera di Anna e ne abbiamo versato una buona quantità nelle scarpe. Emanava una discreta puzza, però ci eravamo liberate di tutti i possibili funghi nascosti.

– Beh, almeno nessuno potrà accusarci di avere i piedi puzzolenti – ho detto infilandomi le scarpe. – Uauuu! –. Dieci centimetri in più di tacco sono parecchi quando sei abituata a portare sempre le scarpe da ginnastica. Improvvisamente il soffitto era molto più vicino. Dieci centimetri in più di tacco però sono anche piuttosto destabilizzanti...

– Come farà Sarah Jessica Parker a rincorrere i taxi con questi cosi ai piedi?

Le nostre mamme probabilmente ci ammazzerebbero se lo sapessero, ma quando c'erano le repliche di *Sex and the City* fingevamo di andare a letto e poi, di nascosto, le guardavamo. Tutte le protagoniste della serie riescono a portare dei tacchi impressionanti e allo stesso tempo sono capaci di rincorrere un taxi senza mai slogarsi una caviglia o cadere a terra.

– Esercizio – ha detto Anna infilandosi le sue scarpe e seguendomi nella sfilata. – Ho letto su "Cosmo" che Sarah Jessica si è esercitata moltissimo, proprio come facciamo noi ora, con le sue Manolo Blahnik ai piedi.

In effetti, dopo qualche minuto cominciavo a sentire le scarpe più normali. Ed essere così alta mi faceva in qualche misura sentire forte, anche se un po' instabile.

– Ehi, potrei anche abituarmici – ho detto osservando la mia immagine allo specchio, mentre mi sistemavo i capelli.

– Anna?

In quel momento qualcuno ha bussato e, prima che la mia amica potesse rispondere qualunque cosa, la porta si è spalancata e suo fratello maggiore, Joey, è entrato.

– Vuoi un po' di… ah! –. Joey si è bloccato. – Cosa state facendo? –. Ci ha guardato i piedi. Poi ha cominciato a ridere. Gli scendevano perfino le lacrime.

Conosco Joey fin da quando conosco Anna. Una volta era divertente giocare a pallone insieme a lui. Poi ha attraversato un periodo un po' da secchione e noi l'abbiamo snobbato.

Ora è alto quasi un metro e ottanta e ha i capelli biondissimi. È un vero sportivo, con un fisico ben allenato. E per qualche strana ragione, in questi giorni la cosa mi imbarazzava un po'. E ora ero ancora più imbarazzata, in piedi su quei trampoli, come una bambina che giocava a travestirsi.

– Ehi, Joey, levati dai piedi – ha detto Anna agitandosi per levarsi le scarpe alla velocità della luce.

Improvvisamente la piacevole sensazione di potere che avevo provato solo pochi minuti prima era stata completamente sostituita da un senso di disagio. Mi sentivo totalmente fuori luogo.

– È stato veramente terribile! – mi sono lamentata con Anna il giorno dopo andando a scuola in autobus. Arrossivo ancora al pensiero di che figura ridicola avevo fatto con Joey.

– In effetti devo ammettere che non è stato piacevole – ha detto lei. – Però, senti, Joey mi tormenta continuamente, dopo un po' ci fai l'abitudine.

Siamo state zitte per un po', poi ho detto: – Allora credi davvero che potremmo tingere le mie scarpe di nero come le tue?

– Non c'è problema. All'intervallo del pranzo andiamo a comprare il lucido.

– Se solo ci fossimo potute comprare da subito un paio di scarpe normali – mi sono lagnata. – Devo riuscire a mettere le mani su un po' di soldi!

– Quanto è vero! – mi ha dato ragione Anna. – Quello che ci serve è un lavoro!

Per peggiorare la situazione, arrivate in classe, abbiamo trovato Frankie che teneva banco. È con noi dalla prima e per qualche assurda ragione (forse perché è di una bellezza sconcertante?) tutti la amano, gli insegnanti, gli studenti e, beh, ovviamente le frakiette. Venerano lei e ogni parola che esce dalla sua bocca. Noi, naturalmente, no. Mai nella vita. Beh... una volta avremmo voluto. Ora però c'eravamo stancate di Frankie e delle frakiette, che passavano tutto il loro tempo ad adorarla e a dirle quanto fosse fantastica.

Quella mattina, in particolare, Frankie stava raccontando a tutti il suo weekend. Raccontava che, mentre stava facendo shopping con un'amica, in centro a Londra, era stata avvicinata da uno scout di un'agenzia di modelle.

– Mi ha detto che ho un look così diverso – si pavoneggiava (era praticamente sdraiata sul banco). – E mi ha chiesto di passare a trovarlo in agenzia. Mi ha dato perfino il suo biglietto da visita.

– Chi si loda si imbroda – ha sibilato Anna a denti stretti.

Le ho dato una gomitata: capivo esattamente quello che voleva dire, ma sarebbe stato terribile se Frankie avesse sentito.

– Non è incredibile? – ha sospirato sognante Sylvie, come se la stella di Frankie illuminasse anche lei.

La maggior parte delle ragazze annuiva in segno di approvazione. Anna e io, invece, semplicemente ci siamo allontanate.

– Pensi davvero che sia la verità? – mi ha chiesto Anna più tardi, mentre tornavamo a casa. Frankie e le sue fan avevano continuato a parlare dell'agenzia di modelle per tutto il giorno. Ci era venuta la nausea.

– Probabilmente sì – ho borbottato. – E probabilmente guadagnerà un milione di sterline con il primo servizio, e una bellissima rockstar si innamorerà di lei, e la sua faccia campeggerà su tutti gli autobus di Londra... Ma chi se ne importa?

Anna ha riso. – A proposito di un milione di sterline. Dobbiamo trovare il modo per guadagnare dei soldi.

– Potremmo andare a vedere all'Outlet – ho suggerito.

L'Outlet è un enorme centro commerciale appena fuori città. Aveva aperto da qualche mese e c'erano moltissimi negozi di cose firmate che vendevano i modelli dell'anno prima. Frankie ci lavorava, qualche volta.

– Senti, è già insopportabile dover tollerare Frankie tutta la settimana. Non voglio rischiare di vederla anche il sabato!

– Hai ragione! – ho riso. – Che ne dici allora dei negozi in città?

– Buona idea – ha detto Anna. – Andiamo subito a vedere se riusciamo a trovare qualcosa.

4 La magia delle extension

Il primo posto dove abbiamo tentato è stata la profumeria. Niente da fare.

– Mi dispiace, abbiamo già una lista di candidati – ci ha risposto una donna piuttosto spocchiosa, che aveva un cartellino con scritto "manager di linea".

L'uomo del supermercato invece ci ha detto che sì, aveva due posti.

Pensavamo d'aver già risolto il nostro problema quando poi ci ha spiegato: gli orari di lavoro sarebbero stati il venerdì e il sabato sera dalle 19.30 alle 22.30 e avremmo dovuto riempire gli scaffali dopo che il negozio aveva chiuso. Addio vita sociale, quindi… anzi, no, addio signor Supermercato!

– Uffa – ho mugugnato appena io e Anna siamo uscite dal negozio.

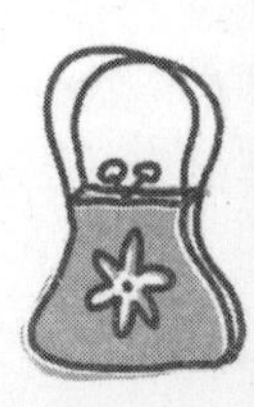

– A pensarci bene, chi vuole lavorare in un supermercato con un grembiule addosso? – ha aggiunto lei.

La tappa successiva è stata la libreria ma, anche lì, niente da fare.

Stessa risposta da tutti i negozi di abbigliamento, anche se un paio hanno almeno preso i nostri nomi e numeri di telefono in caso si fosse liberato un posto.

Ci siamo così ritrovate all'Orange Tree. È un posto per signore anziane, dove la mattina servono il caffè e il pomeriggio il tè delle cinque. È un po' vecchio stile, però lo dirige la zia di Anna, Suzy, che quando andiamo ci regala una tazza doppia di cioccolata.

Ci siamo sedute al tavolo in fondo alla sala.

– Ehi, ragazze! – ci ha salutato Suzy. – Il solito?

– Sì, grazie, zia Suzy – ha risposto Anna.

– Non c'è speranza – ho detto. – Dove li troviamo i soldi per fare tutte le cose della lista?

– Ehi, cosa sono queste facce tristi? – ci ha chiesto Suzy portandoci le cioccolate. – Le cose non possono andarvi così male.

– Immagino che tu non abbia un lavoro da offrirci, vero? – ho chiesto speranzosa.

– No, ragazze, mi dispiace – ha detto. – Come mai cercate lavoro?

– Dobbiamo guadagnare un po' di soldi – ha detto Anna.

– Per cosa? –. Suzy ha alzato un sopracciglio un po' perplessa.

– Ehm, niente di speciale – ho borbottato impacciata. Non volevo che lei, o chiunque altro, conoscesse i nostri progetti.

Le si leggeva in faccia che non mi credeva. Probabilmente si immaginava che avessimo degli oscuri piani sinistri.

Per fortuna Anna è intervenuta a salvarmi. – Ci servono solo per le nostre cosine, sai il cinema, i trucchi, roba del genere insomma.

– Ah, ho capito –. Suzy si è rilassata subito. – Beh, se sento di qualcuno che cerca un aiuto per il sabato ve lo dico.

Finite le nostre cioccolate calde ci siamo avviate verso casa facendo la strada al contrario. Tutte e due ci siamo bloccate a guardare la foto sulla vetrina di Cutting Room. Cutting Room, il nuovo parrucchiere super-trendy (è talmente trendy che fa paura solo toccare la maniglia della porta. Per me, un taglio di capelli vuole dire la sedia in cucina e mia mamma, con le sue forbici da sarta in mano, che tagliuzza qua e là, senza mai andare dritta. Non male, eh?).

– Questo posto è fantastico! – ha esclamato Anna.

Aveva ragione. La ragazza nella foto aveva dei capelli meravigliosi. Ok, devo ammettere che già di suo era molto bella, ma i capelli la facevano sembrare ancora più strepitosa.

Sotto la foto, una scritta spiegava che questi capelli fantastici non erano proprio capelli veri. Cioè, sembravano veri, ma in realtà erano delle extension.

– Forza – Anna mi ha preso per un braccio. – Entriamo.

– No! – ho gridato. – Non possiamo!

– Perché, no? – mi ha chiesto Anna.

– Cosa entriamo a fare? Non abbiamo soldi... e poi è troppo trendy!

– Esattamente – ha detto Anna con uno sguardo superiore. – Anche noi tra un po' saremo trendy, ricordi? Forza, entriamo.

Siamo entrate.

Tutti i ragazzi dello staff erano vestiti di nero. Non avevano un solo, capello fuori posto. Non c'era una sola ombra di forfora sulle loro spalle.

– Ragazze, posso aiutarvi? – ci ha sorriso la commessa al banco d'ingresso, una specie di modella. – Avete un appuntamento?

– No –. Anna era raggiante d'entusiasmo. Io, ammutolita di fronte a tanta sicurezza, rimanevo lì, zitta e immobile, come uno stoccafisso.

– La foto in vetrina, le extension… ci stavamo chiedendo quanto costano e come funzionano esattamente.

– Fantastiche, vero? – ha risposto la ragazza immagine. – Sono perfette per quando vuoi passare da un taglio a un altro –. Si è allungata con grazia sul bellissimo banco e ha afferrato un volantino. – Prendete uno di questi, c'è scritto tutto. Trudy fa le extension il giovedì e il venerdì.

La "modella" ci ha indicato un'altra ragazza altissima in fondo al negozio. Aveva i capelli lunghi fin sotto la vita. Erano lucidi e corposi.

– Grazie! – ha risposto Anna. – A presto!

Io ero ancora senza parole. Anna invece si è incamminata verso l'uscita e, quando si è resa conto che non la stavo seguendo, mi ha lanciato uno sguardo sconsolato, poi mi ha preso per un braccio e mi ha accompagnato fuori. Non imparerò mai a essere così coraggiosa!

– Quanto?! – ho esclamato quando, qualche minuto più tardi, Anna mi ha letto il volantino. Eravamo sedute sulla panchina fuori dalla chiesa. – Non esiste!

– È parecchio, vero? – anche Anna era abbastanza sconvolta dal prezzo. – Beh, in effetti dice che ci vogliono quattro ore per completare tutta l'operazione...

– Ho capito, però! – ho risposto secca. Ogni speranza sembrava defunta.

Siamo rimaste zitte per un po', poi io ho detto: – Beh, niente extension allora.

Anna non mi ha risposto. Ha ripiegato il volantino con cura e se l'è messo in borsa.

– Non capisco perché dovremmo scartare completamente l'idea – mi ha detto poi, in modo enigmatico.

– Lascia perdere, anche se riuscissimo a trovare un lavoro per il sabato, dovremmo risparmiare per settimane, forse per mesi, prima di riuscire ad avere la cifra che ci serve per pagarci le extension!

– Non se ce le facciamo da sole... – ha proposto Anna.

– *Da sole?* Stai scherzando?

– Beh, non deve essere tanto difficile, no? –. Anna aveva un'espressione molto determinata. – Il volantino dice che i capelli sintetici vengono attaccati ai capelli veri con il calore.

– Ok, e allora? –. Ero davvero curiosa di capire cosa le passava per la testa.

– Beh, abbiamo il phon, no?
– E i capelli acrilici?
– Niente di più facile, scommetto che da Gammons li vendono – ha detto soddisfatta. È un vecchio supermercato, di quelli che hanno un po' di tutto. – Forza! Andiamo a vedere!
E così io e Anna ci siamo dirette da Gammons. Abbiamo trovato dei capelli finti niente male, abbiamo trovato delle parrucche. Ma niente ciocche di capelli acrilici.
Poi io ho avuto un colpo di genio. Claire's Accessories, il negozio per parrucchieri! Provare non costava niente.
– Ok – ho detto mezz'ora dopo, mentre tenevo una ciocca di capelli vicino alla mia testa. – Esattamente... com'è che penseresti di fissarli?
Era più che ovvio anche per l'ottimistica Anna che un phon non sarebbe stato sufficiente. Ha ispezionato gli scaffali nel negozio, si era quasi arresa quando si è avventata su qualcosa.
– Trovato! – ha dichiarato vittoriosa.
– Cosa? – ho chiesto io piuttosto scettica.
– La colla per le ciglia finte!
Il problema era che non stava scherzando.

5 Un miserabile tentativo

– Allora, stasera siamo operative? – ha sorriso Anna.

– Beh… – ho risposto sarcastica. – In effetti dovrei stare a casa a farmi un'altra pedicure.

Anna ha riso e alla fine ho riso anch'io. Dovete sapere che avevamo comprato il lucido da scarpe che volevamo e avevamo trascorso tutto il martedì pomeriggio a tingere le mie décolleté bianche. Avevamo fatto le cose con cura, mettendo anche tutti i giornali sul pavimento della mia camera, terrorizzate all'idea di sporcarlo. In realtà, alla fine della nostra opera, eravamo tutte e due piuttosto soddisfatte perché le scarpe erano venute bene. Quindi, quando più tardi mi ero messa a fare i compiti, ho pensato di indossarle per fare un po' di esercizio modello Sarah Jessica Parker. Ed ecco il disastro! I miei

piedi sudano parecchio, carino eh?, e il lucido era filtrato dalle cuciture e aveva lasciato il colore. Ora avevo delle bellissime righe tratteggiate sui piedi: nere, tranne dove erano rosse e gonfie, cioè su tutto il collo del piede. Affascinante, eh?

Era mercoledì pomeriggio di un'altra noiosissima settimana. Dopo scuola sarei andata da Anna perché avevamo deciso che quella sera avremmo sperimentato la sua versione delle extension.

Abbiamo discusso per ore su chi di noi due dovesse farlo per prima e alla fine abbiamo deciso che, dato che Anna aveva le idee più chiare su come procedere, prima le avrebbe fatte a me. Quindi, dopo avere perfezionato la tecnica, io le avrei fatte a lei un'altra sera.

Un'ora dopo ero in camera di Anna. Se devo essere sincera, tutto sembrava molto professionale. Ero seduta davanti allo specchio, avevo un asciugamano sulle spalle, avevamo indirizzato tutte le lampade della stanza verso di me. Proprio come dal parrucchiere. Avevo i capelli asciutti perché pensavamo che la colla avrebbe preso meglio.

– Ok –. Anna ha afferrato una bella ciocca di capelli finti.

Devo anche ammettere che il colore era davvero

molto simile al mio. Cominciavo a essere emozionata al pensiero di avere una bella chioma con lunghi capelli fluenti.

– Comincio da dietro e poi salgo fino ad arrivare davanti – mi ha spiegato Anna.

– Perfetto – ho sorriso.

Guardavo Anna nello specchio, sembrava talmente convinta di quello che faceva che non ho dubitato delle sue capacità neanche per un minuto. Dalla mia posizione non riuscivo a vedere come stesse venendo il lavoro. Lei era molto concentrata. Ogni volta che attaccava una nuova ciocca ai miei capelli, scompigliava un po' il tutto per mischiare i capelli veri con quelli finti.

Certo però che era *così* noioso. E qualche volta mi faceva anche male, soprattutto quando Anna tirava i miei capelli veri. Anche il riscaldamento della colla con l'aria calda del phon non era esattamente piacevole.

– Come sta venendo? – ho chiesto dopo un tempo che mi era sembrato infinito.

Tutto quello che Anna mi ha risposto è stato: – Devo finire tutta la testa prima di poterlo dire.

Questa cosa mi ha messo un po' di ansia. A un certo punto lei è scesa a preparare due tazze di caffè e io ho cercato di vedermi allo specchio, ma in qualunque modo lo girassi non c'era modo di prendermi tutta. Certo, tutto quello che riuscivo a vedere non mi sembrava avesse un aspetto naturale. A circa un centimetro dalla radici, infatti, i capelli sembravano un po' cespugliosi. Stavano lì a novanta gradi.

Così ho provato a dirlo ad Anna quando è tornata.

– Senti, non ho ancora finito! – mi ha aggredito lei, facendomi sentire in colpa. – Ti dispiace lasciarmi lavorare in pace?

– Ok, scusa –. Così sono rimasta muta, a bere il mio caffè.

Da lì in poi però ho tenuto d'occhio tutto quello che faceva. A un certo punto Anna ha fatto cadere una grossa goccia di colla sul pavimento. Abbiamo pulito tutto alla velocità della luce.

– Mia mamma mi ammazza, se lascio delle macchie – ha detto in panico.

A parte questo diversivo, l'operazione extension è stata solo una gran noia. Ero tutta rigida e mi faceva male il sedere per essere rimasta sulla sedia così a lungo.

Per Anna era diverso perché lei saltellava da una parte e dall'altra e, palesemente, si stava anche divertendo.

Dopo un secolo ha cominciato a fare la testa sopra, dove finalmente riuscivo a vedere.

– Si notano le giunture! – la mia voce ha gracchiato in panico.

– In che senso? – mi ha chiesto Anna, come se non avesse davvero capito cosa volevo dire.

– Le giunture, dove le ciocche finte sono attaccate ai miei capelli. Si vedono! Le giunture! –. Mi sono alzata in piedi cercando di vedermi la testa dietro.

– Beh, devono esserci per forza, le giunture –. Le labbra le si sono stirate come quando a scuola viene sgridata dai professori. – Insomma, non si possono attaccare i capelli sintetici senza una qualche forma di giuntura.

– Però pensavo che farsi le extension volesse dire che non si vedeva la differenza tra i capelli veri e quelli finti –. Adesso ero davvero preoccupata.

– Non ho finito – mi ha risposto secca Anna. – Quando avrò finito, sempre che tu stia buona e me lo lasci fare, posso sistemare i tuoi capelli in modo da coprire le giunture. Ti spiace sederti ora?

Mi sono riseduta, ma non ero proprio tranquilla.

Il nostro senso dell'umorismo si era spento. Anna lavorava in silenzio e a un certo punto ha detto: – Ok, ho finito –. Si era fermata con le ciocche finte qualche centimetro dietro le orecchie e aveva sistemato i capelli in modo che tutto ricadesse indietro.

Mi sono alzata per guardarmi meglio allo specchio, e una ciocca è precipitata a terra.

– Ops – come un fulmine Anna si è chinata e l'ha nascosta dietro la schiena. – Allora, come ti sembra?

– Hai un altro specchio così riesco a vedermi dietro? Come dai parrucchieri?

– Mmmhhh, ho solo questo – ha risposto mostrandomi un piccolo specchietto.

Non riuscivo a vedere un granché dietro, però quello che vedevo era tutto arruffato.

– No! – ho detto. – Anna, no!

– Cosa? Hai i capelli lunghi, o no?

– Mica li volevo così, i capelli lunghi –. Mi stavo davvero spaventando.

Anna mi osservava, e non era più così compiaciuta come all'inizio. – Beh, sì, ammetto che il risultato è un po' strano… Possiamo sempre prendere delle altre ciocche e vedere se aggiungendole…

– Tu sei pazza se pensi che io domani mi presenti a scuola così! –. Non potevo credere che Anna stesse parlando seriamente. – Devi togliermi questa roba!

– Ma non è giusto! – si è lamentata. – Ci ho impiegato un secolo!

– Quello che non è giusto è il mio aspetto!

Per un po' è rimasta in silenzio. Poi ha detto: – Ok, hai ragione. È orribile. È davvero inguardabile e mi dispiace moltissimo. Dobbiamo rimediare. Forza, cominciamo.

Mi sono seduta e Anna ha iniziato a tirare le ciocche finte.

– Ahia! Mi fai male!

– Scusa, sto solo cercando di farti tornare come prima – e ha provato di nuovo.

– Ahhh! Malissimo!

I capelli però non si muovevano dal loro posto.

– Beh, almeno una cosa l'hai fatta bene, sono decisamente attaccati – ho detto ironica.

– Penso che dovresti lavarli – mi ha suggerito.

– Ok – ho risposto. Volevo solo avere di nuovo i miei capelli, normali.

– Aspetta, controllo che Joey non sia in giro, così puoi farti una doccia e lavare via tutto.

Ci mancava solo che Joey mi vedesse conciata così! Allora mi sono fatta la doccia. E lo shampoo. Il problema però è che l'acqua, che ha fatto arricciare e reso elettrici i capelli finti, invece non ha sciolto la colla. Quindi ho provato con il phon, solo che s'è sentito un gran puzzo di bruciato e la mia testa ha cominciato a fumare.

– Non abbiamo fatto altro che peggiorare la situazione! – ho frignato.

Anna non ha detto niente per contraddirmi. Stava per aggiungere qualcosa, quando qualcuno ha bussato alla porta ed è entrata sua mamma.

– Ragazze… – si è portata una mano alla bocca. – Cosa avete combinato?

Evidentemente non credeva ai suoi occhi… e come darle torto?

6 La confessione

Quindici minuti dopo eravamo sedute in salotto. Dopo tutte le nostre spiegazioni, molto sconcerto e un sentimento di assoluto sconforto in me e Anna, sua mamma ha telefonato alla mia.

– Insisto – stava dicendo. – Mi sento totalmente responsabile visto che è successo in casa mia. Chiamo il nuovo parrucchiere e vedo se riesco a fissarle un appuntamento per domattina –. È rimasta ad ascoltare quello che diceva mia mamma, poi ha aggiunto: – Non credo proprio che Beth possa andare a scuola così.

Quando ha riagganciato, la mamma di Anna mi ha spiegato che la mia sarebbe passata a prendermi tornando dal lavoro. Questa cosa mi ha molto rincuorato perché non potevo pensare di uscire in

quello stato. La mamma di Anna era così arrabbiata che riusciva a malapena ad aprire bocca. Penso che continuasse a parlarci perché era palesemente dispiaciuta per me. Quando è arrivato Joey, ha spalancato la bocca. Ma non ha riso. Non so perché, ma forse avrei preferito se lo avesse fatto. Volevo dei capelli belli da morire e mi ero ritrovata con dei capelli che mi facevano morire di vergogna. Ho un diavolo per capello...

E la mia situazione è pure peggiorata.

La mamma di Anna aveva insistito perché andassi la mattina presto a sistemare l'inconveniente. Il problema però era che, quando ha chiamato, dal parrucchiere non c'era posto. Il primo buco ce l'avevano nel primo pomeriggio, appena dopo la scuola.

Pensavo che mia mamma mi avrebbe lasciato stare a casa. Ma figuriamoci! Mi ha detto che una sciarpa in testa sarebbe bastata per coprire il danno... A volte la vita è proprio ingiusta.

E quando sono arrivata a casa, il mio caro fratellino ha passato tutta la sera a tormentarmi. Quando poi anche il papà è tornato a casa, ha riso così tanto che temevo soffocasse. Un vero successo, su tutti i fronti. Di chi era stata l'idea di somigliare a Beyoncé, dopo tutto?

Dopo una giornata di umiliazione totale durante la quale praticamente ogni studente e ogni insegnante della scuola mi ha chiesto cosa avessero i miei capelli, Anna e io, finalmente, ci siamo avviate da Cutting Room.

– Non capisco perché hai quest'aria così affranta – mi ha detto la mia *cara* amica appena siamo scese dall'autobus. – Dopo tutto stai andando dal parrucchiere più trendy nel raggio di centinaia di chilometri.

– Perché sulla mia testa c'è la tragedia – ho mugugnato. – Sarei contentissima di andare da Cutting Room se somigliassi un po' più a un essere umano. Invece mi presento come la brutta copia di Marge Simpson...

– Pensa positivo, Beth! – ha risposto Anna. – Ti ho già detto quanto mi dispiace, sai che sono sincera. Pensa solo a quanto sarai più bella quando uscirai.

– Forse hai ragione – ho grugnito non troppo convinta.

Eccomi qui, stavo andando in un posto che avrebbe dovuto farmi sentire bene, e invece speravo solo che la terra si aprisse e mi ingoiasse.

Quando siamo entrate non c'è stato bisogno di alcuna presentazione: la ragazza al bancone d'ingresso ci ha detto: – Ah! Eccovi qui.

Mentre mi accompagnava alla poltrona ho sentito addosso lo sguardo di tutti.

– Sono lo zimbello del negozio! – ho sibilato ad Anna appena la ragazza ci ha lasciate dicendo che Nick sarebbe arrivato da noi in un attimo.

– Non essere ridicola! – ha sibilato Anna a sua volta. – Perché dovrebbero essere interessati a te?

– Beh, grazie tante!

Anna è arrossita. – Non era quello che intendevo! Ehi, guarda quel tipo laggiù. Niente male, vero?

In fondo al negozio c'era un ragazzo carino che prendeva degli asciugamani da un mobile.

– Niente male – ho confermato. – Quale pensi sia Nick?

Anna non mi ha risposto perché era troppo impegnata a sfoderare il suo sorriso sul belloccio. Il suo sorriso ha cominciato a farsi imbarazzante quando il ragazzo si è avvicinato entrando pericolosamente nella zona di conquista di Anna. Proprio quando sembrava che lei stesse per balzare in piedi, il belloccio si è fermato accanto alla mia poltrona.

– Buongiorno, ragazze! Io sono Nick, immagino che tu sia Beth.

Accidenti!

Nick è bello da morire. Gli ho spiegato quello

che era successo. O almeno ci ho provato, solo che Anna stava esplodendo dalla voglia di raccontare lei tutta la storia delle extension e dei miei capelli.

– Poverina! –. Nick mi ha sorriso solidale.

– Puoi togliere tutta questa roba? – ho chiesto. – Però non vorrei avere i capelli troppo corti.

– Non ti preoccupare – ha detto Nick passando le dita tra i miei capelli. O almeno ci ha provato, perché i capelli finti e la colla gliel'hanno impedito. – Dovremmo riuscire a levarne la maggior parte. Forza, cominciamo a lavarli.

Mi ha strizzato l'occhio e io l'ho seguito al lavandino.

Non c'era verso che Anna ci lasciasse soli. Seguiva Nick in giro per il negozio come un cucciolo segue una pallina. Ragazzi, era proprio in vena di corteggiamento.

– Ehi, Nick, questo shampoo ha un profumo delizioso, che cos'è?

– Da quanto lavori qui, Nick?

– Hai sempre voluto fare il parrucchiere, Nick? Ho sempre adorato giocare con i capelli delle persone, e anche a me non dispiacerebbe fare la parrucchiera.

Ma cosa stava dicendo? Anna non aveva mai dimostrato il minimo interesse per i capelli, almeno non fino al disastro delle extension. Era veramente senza pudore.

Circa un'ora dopo, sotto ai miei piedi c'era un tappeto di schifezze acriliche. I miei capelli erano molto meno gonfi, anche se Nick aveva dovuto comunque usare le forbici per tagliare un paio di ciocche che avevano ancora dell'acrilico attaccato. Se lui non fosse stato così carino, credo che avrei urlato. Dopo tutto uno dei punti della lista era farsi crescere i capelli, che adesso erano persino più corti di quando avevo cominciato.

Sembrava che Nick riuscisse a leggere i miei pensieri perché ha detto: – Ora ti faccio vedere come sistemare i capelli, vedrai che staranno benissimo.

Gli ho sorriso sollevata e grata.

– Così imparerai a farli cadere nel modo giusto – mi ha spiegato.

Poi ha preso il phon e ha cominciato ad asciugarmi i capelli. E mi piaceva. Mi aveva fatto un gran taglio! Sono anche riuscita a trovare il coraggio per chiedergli qualche dritta su come trattare i miei capelli. Mi ha consigliato un paio di cose per rinforzarli e renderli lucidi.

– Comunque Beth, – ha detto infine Nick – a parte tutta questa faccenda della colla, i tuoi capelli sono proprio belli.

Accidenti!

Quando anche la piega è stata a posto, i miei capelli mi piacevano proprio, erano lucidi e dritti. Nick ha sistemato uno specchio in modo che potessi vedere anche il retro della testa. – Va bene? – mi ha chiesto con un sorriso. – Ti do qualche cremina da mettere a casa per mantenere la lucidità del capello, perché continui a essere meraviglioso.

Nick aveva detto che i miei capelli erano meravigliosi! Ho accettato la borsina con le creme con infinita gratitudine e me la sono messa in tasca farfugliando dei saluti.

– Ciao, Beth, ci vediamo! – ha detto Nick. – E, Anna, – ha anche detto – abbiamo bisogno di una persona per il sabato se ti interessa.

– Interessare? – Anna era entusiasta. – Quando vuoi che cominci?

– Beh, sabato prossimo abbiamo un matrimonio. Forse non è la giornata migliore per cominciare. Cosa ne dici del sabato dopo? – ha sorriso Nick.

Non ci potevo credere! Dopo aver combinato tutto questo disastro Anna ne usciva vittoriosa! Come faceva?

7 Finalmente un lavoro!

– Ho trovato un lavoro! – ha esultato Anna, appena siamo uscite da Cutting Room.

– Fantastico – ho risposto con sarcasmo. – Così potrai comprarti tutte le cose sulla lista, e io no.

– Non dire così – ha detto lei abbracciandomi. – Senti, hai un taglio di capelli degno di una rivista, mentre la mia testa è un gran disastro. Sai cosa ti dico, probabilmente ti ho fatto un piacere a impiastricciarti i capelli!

– Ma che coraggio! Solo tu potresti dire una cosa così! –. Non potevo non ridere.

– Hai un taglio da urlo o no? – ha risposto sollevando un sopracciglio. – E non l'hai nemmeno pagato!

Ho sorriso e l'ho presa sottobraccio. Dopo tutto aveva ragione!

La mattina dopo i miei capelli continuavano ad essere davvero belli. Erano lucidi, morbidi e avevano una specie di onda che li faceva dondolare quando camminavo. Specialmente se muovevo un po' la testa. Cosa che, raggiungendo Anna alla fermata dell'autobus, facevo continuamente.

– Bel taglio! – ha detto Anna come se lo vedesse per la prima volta.

– Grazie! – ho risposto sfavillante.

C'è qualcosa di strano nell'avere dei capelli perfetti. Ti fa stare molto meglio con te stessa. Io mi sentivo come se fossi stata invincibile anche se stavo solo andando a scuola e mi aspettavano l'appello e due ore di scienze.

In classe, Frankie stava inondando tutti con il racconto della sua nuova carriera da modella. Evidentemente c'era stata qualche grossa novità.

– Quindi mi hanno detto che posso cominciare a lavorare quando voglio – stava raccontando quando io e Anna siamo entrate. – Mio papà continua a dire che potrò lavorare solo durante le vacanze, mia mamma però, quando lui non c'era, mi ha detto che se Armani o Versace dovessero chiamarmi per un lavoro, non c'è nemmeno da parlarne, posso andare dove e quando voglio, e mio papà dovrà solo stare zitto.

– Oh, Frankie, è meraviglioso! – ha squittito una delle frakiette, Trish.

– Armani? Versace? – mi ha sussurrato Anna. – Di cosa sta parlando?

Io ho alzato le spalle e ho ascoltato il resto.

Per fortuna Izzie, una delle ragazze più normali della nostra classe, le ha fatto la domanda che avrei troppo voluto farle io.

– Com'è che lavorerai per Versace?

– Non lo sai? – ha risposto Vic compiaciuta. Per qualunque cosa succedesse a Frankie, le sue fan si nutrivano di luce riflessa.

– Se l'avessi saputo non avrei chiesto, non credi? –. Izzie ha sorriso ed è riuscita a malapena a nascondere il sarcasmo.

– Frankie è appena stata da un agente di modelle! – ha concluso Trish.

Ho guardato Anna e Anna ha guardato me. Per fortuna non abbiamo avuto tempo di aggiungere nient'altro che: – Sì, signora – perché proprio in quel momento è arrivata la prof Anstey, che ha cominciato l'appello.

Frankie e le frakiette hanno trascorso tutto l'intervallo discutendo della novità e, all'ora di pranzo, lo sapevano persino gli insegnanti.

Anna e io ci aggiravamo per la mensa alla ricerca di un posto che fosse il più lontano possibile da loro. Certo, evitare il discorso era piuttosto difficile. Anche gente che non conosceva Frankie parlava della studentessa che sarebbe diventata ricca e famosa.

– Ehi, guarda – ha detto Anna compiaciuta. – Gli unici due posti liberi sono proprio accanto a Greg e Baz. Addirittura allo stesso tavolo!

Baz e Greg sono in terza e sono bellissimi. Anche se, onestamente, bisogna riconoscere che Baz è assolutamente il più bello dei due.

In nove mesi non avevamo progredito di un solo passo nel tentativo di uscire con loro. Ma, ehi! Ecco l'occasione, io con il mio meraviglioso taglio di capelli e Anna con il suo nuovo lavoro… Era arrivato il momento di mettersi in azione!

– Possiamo? – ha chiesto Anna con un tono che non lasciava possibilità di replica.

Abbiamo occupato le due sedie libere come se le nostre vite dipendessero da quello. Ho sistemato i capelli e anche Anna ha spostato i suoi boccoli biondi dietro l'orecchio, poi ha appoggiato un gomito al tavolo e ha messo il mento sulla mano. Ha spalancato gli occhioni e si è piegata verso Baz.

– Ho notato che abbiamo scelto lo stesso menu – ha detto, ignorando completamente Greg.

Quindi era così. Per quanto la riguardava, Anna aveva deciso che Baz era la sua preda e Greg era la mia. Non che la cosa mi desse dei problemi.

– Ehm, sì – ha risposto Baz un po' sorpreso dall'interesse di Anna per la sua poltiglia grigiastra.

– Venite spesso da queste parti a mangiare? – ha chiesto Anna, che non è riuscita a trattenere una risatina isterica per la sua battuta patetica.

– Solo se non possiamo evitarlo – ha risposto Greg con sarcasmo.

Non mi veniva niente da dire. Mi sentivo come un coniglio bloccato dalle luci di una macchina. Il mio cervello cercava disperatamente una battuta.

– Mi passi il sale, Greg? – è tutto quello che ho detto, con un ammiccamento della testa.

– Ti sei tolta la sciarpa –. Ha indicato la mia testa con un movimento della sua.

– Ebbene sì… –. Aveva notato il mio taglio! Forse, in fondo, la lista stava funzionando… poi Baz ha rovinato tutto.

– Cos'è tutta questa faccenda di Frankie che farà la modella?

Quel pomeriggio sull'autobus, Anna ha detto: – Persino Baz e Greg parlavano di Frankie! Non la sopporto.

– Greg però ha notato il mio taglio! Mi ha chiesto della sciarpa!

– Non è proprio la stessa cosa – ha ribattuto lei in modo, mi pare, nemmeno troppo gentile.

– Beh, lo so che non ha esattamente detto che i miei capelli erano meravigliosi. Almeno però ha notato qualcosa.

– Intendi dire che si è accorto che non somigliavi più a qualcuno con un sacchetto di carta in testa? – ha concluso Anna.

Ho deciso di lasciar perdere.

Scese dall'autobus, abbiamo camminato per un po' senza parlare. Poi ho visto il cartello.

– Guarda! – ho esclamato. – Il nuovo supermercato, quello vicino al semaforo, che ha appena aperto. Cercano qualcuno per il sabato. Vado!

Anna ha sorriso. – Vai, Beth!

Così sono entrata, e quando sono uscita avevo un lavoro. Avrei cominciato di lì a due settimane, di sabato.

8 Prove di passerella

Venerdì ho dovuto per forza lavarmi i capelli. Come avevo sospettato il mio tentativo di fonarli come dal parrucchiere è stato tempo sprecato. Anna si è offerta di provare lei ma, dopo il suo ultimo tentativo da parrucchiera, le ho detto di no. Assolutamente no.

– Ok – ha esclamato quando siamo scese dall'autobus per andare a scuola. – Domani è il nostro ultimo sabato libero. Cosa facciamo?

Effettivamente avevo realizzato negli ultimi due giorni che, iniziando a lavorare, mi rimaneva un solo giorno alla settimana per poltrire a letto. I soldi che avremmo guadagnato però compensavano il sacrificio. In più, io e Anna speravamo che le nostre pause pranzo coincidessero, così avremmo potuto mangiare insieme.

– Non so – ho risposto. – Forse potremmo trascorrere una giornata di assoluta pigrizia?

– Mai nella vita! – ha esclamato Anna. – Non vorrai sprecare il nostro ultimo sabato?

Vedete, Anna detesta stare seduta a non fare niente, si annoia molto facilmente, e quando si annoia di solito architetta dei piani terribili.

– Andiamo a fare shopping? Intendo a guardare le vetrine per individuare tutte le cose che potremo permetterci quando avremo un sacco di soldi…

– Potremmo… – ha risposto Anna mentre rifletteva. Vedevo una delle sue grandiose idee formarsi nella sua testa. – Direi anzi di SÌ. Andiamo a fare shopping. Solo non stiamo in zona, andiamo in Oxford Street.

– Oxford Street? – ho chiesto. – Perché Oxford Street se non abbiamo soldi…

– Perché, cara Beth, – mi ha risposto prendendomi sottobraccio – Top Shop è lì! Ed è dove una nostra odiosa compagna ha incontrato uno scout di modelle…

– Ok – mi ha detto Anna la mattina dopo, mentre aspettavamo la metropolitana per andare in centro. – Mi sono esercitata in camminata.

– Che camminata? – ho chiesto perplessa.

– La camminata della modella – ha risposto lei mentre la metro si fermava. – Secondo la rivista che ho letto, quello che bisogna fare è mettere un piede quasi sull'altro prima di sollevare il secondo. Questo ti dà una sorta di eleganza.

– Ah, ok – ho detto, anche se non ero proprio sicura d'aver capito quello che intendeva.

– Quando scendiamo ti faccio vedere.

Finalmente siamo arrivate alla nostra fermata e ci siamo messe a osservare le persone intorno a noi. C'era una ragazza con le gambe più lunghe che avessi mai visto, ed era divina mentre passeggiava lungo la pensilina con un paio di jeans attillatissimi.

Ci è poi sfilata davanti un'altra ragazza bellissima, indossava una lunga gonna e una cintura di metallo. Improvvisamente mi sono pentita d'aver messo una triste maglietta nera con un paio di jeans trasandati. Ho provato a memorizzare il modo in cui loro avevano abbinato i vestiti per provare poi, a casa, a copiarle.

Ci siamo quindi avviate alla scala mobile. Anna mi stava mostrando la camminata da modella. E un tipo che stava scendendo ci ha riso in faccia.

– Forse la camminata da sfilata non è adatta per la metropolitana – ha detto Anna sprezzante. – Pe-

rò posso assicurarti che è questo che ha reso ricca Liz Hurley. Forza, dobbiamo andare di là.

Ho preso un bel respiro e ho tirato dentro le guance. Contemporaneamente ho spalancato gli occhi il più possibile.

Anna mi ha guardato. – Molto bene, Beth! – ha detto. – Vedo che anche tu hai fatto esercizio!

Era vero. Avevo letto e riletto le riviste con lo scopo di trovare dei trucchi per avere un look da super-modella. Se poteva farlo Frankie, allora potevamo farlo anche io e Anna!

Camminando ho notato la mia immagine riflessa in una vetrina. Sì, forse sembravo un po' imbambolata. Però i miei occhi erano davvero grandi.

Quando siamo entrate nel negozio ho chiesto ad Anna cosa, esattamente, avremmo dovuto fare per essere notate dalla gente della moda.

– Guarda i vestiti – mi ha suggerito. – Devi solo sembrare una cliente normale, però ricordati che potresti essere una potenziale super-modella!

E questo abbiamo fatto. Abbiamo guardato jeans, magliette e gioielli. Poi siamo passate ai vestiti e alle gonne. Nessuno però si è avvicinato per dirci quanto fossimo belle. E nessuno è accorso per farci una foto. E, dopo un paio d'ore, lo studio delle vetrine ci aveva annoiato da morire.

– Non sta andando molto bene, vero? – ha ammesso Anna mentre ci riposavamo sorseggiando un caffè nel bar del negozio.

– No – le ho risposto. – In più io sto morendo di fame!

– Anch'io – ha detto Anna. – Hai dei soldi?

– No, tra la metropolitana e il caffè mi sono svenata.

– Oh, beh, almeno dimagriamo.

– Certo, perché tu devi perdere peso! – ho detto con sarcasmo. Anna è secca, quasi troppo, anche se mangia come un toro. Che invidia!

Siamo rimaste sedute in silenzio a bere il caffè. La maggior parte dei clienti del bar era come noi. Ragazze della nostra età, alcune carine, altre con la puzza sotto il naso e altre con i capelli sporchi. La maggior parte con le loro mamme e una tonnellata di sacchetti. Forse era quello il modo giusto di farsi notare, andare con la mamma. Se non altro tornavi a casa con dei vestiti nuovi.

– Forza – ha detto Anna, quando ormai erano rimasti solo i fondi del caffè. – Torniamo al reparto jeans e tiriamo dentro quelle guance!

Siamo uscite marciando. La cosa positiva di tirare dentro le guance è che automaticamente tiri dentro anche la pancia. Nessuna di noi aveva la pancia grossa in verità, la mia, anzi, era proprio vuota e, mentre stavamo guardando i jeans, s'è messa a brontolare rumorosamente.

– Scusa – sono arrossita.

– Beth! – ha sibilato Anna, mentre una ragazza si allontanava guardandomi storto.

– Non posso farci niente! – ho provato a spiegarle. – Senti, non possiamo andare a casa? Almeno saccheggiamo la scatola dei biscotti.

– Resistiamo ancora un po' – ha detto lei. – Per piacere!

Ho sospirato e mi sono finta interessata all'ennesimo paio di jeans. A quel punto l'ho visto. Un uomo. Immobile. Ci stava guardando intensamente.

– Anna! – ho sibilato. – Guarda! –. Con un movimento del capo le ho indicato l'uomo.

Anna ha alzato lo sguardo. – Fai quella cosa con le guance, forza!

E via di guance, in più lo osservavo con i miei occhioni spalancati. Cosa che, tra l'altro, devo ammettere, non era facilissima perché, un po' per la difficoltà di respirare con le guance tirate dentro, un po' per i morsi della fame, mi sentivo quasi svenire.

Nel frattempo Anna è quasi impazzita. Faceva la camminata da modella e, sempre guardando attentamente il tipo, si destreggiava tra gli stand carichi di jeans. Se devo dirlo, era completamente ridicola. Poi ho visto l'uomo inclinare la testa e parlottare dentro la mano.

Un minuto dopo ho sentito qualcuno che mi toccava la spalla. Prima che potessi girarmi, una donna ha detto: – Potete venire da questa parte?

– Cosa? – ho chiesto un po' in ansia, il cuore a mille. – Anna? – l'ho cercata con lo sguardo. Era con un'altra donna che la stava accompagnando da un'altra parte del negozio. Era successo veramente? Ci avevano davvero notate?

Sì, in effetti ci avevano notate, non esattamente come avremmo voluto però.

– Beh, ragazze – ci ha detto quella, delle due donne, che probabilmente era il capo, mentre ci accompagnava alla scala mobile. – Godetevi il resto del pomeriggio.

– Come no? – ha gracchiato Anna. – Sarà facile!

– Andiamo, vuoi? – ho borbottato, poi l'ho presa per un braccio e mi sono avviata verso la metropolitana.

– È stato uno dei momenti più umilianti della mia vita! – ha dichiarato Anna. – Quelli ci hanno preso per ladre! – Come è possibile che Frankie viene notata da uno scout di modelle e noi veniamo adocchiate dalle guardie del negozio? – si chiedeva. – Perché lei è così fortunata?

– Non lo so – ho risposto sconsolata.

Era vero, Frankie aveva sempre tutte le fortune.

– Anche se non credo che Frankie ci racconterebbe le cose brutte che le capitano, giusto?

– Mah, credo di no – ha sbuffato Anna. – Oh, no!

– E ora? Cosa? – ho chiesto.

– Il mio peggior incubo è appena diventato realtà! Guarda là! –. Anna indicava l'ingresso del negozio. – Sono loro!

– Loro chi? – ho chiesto, non capivo.

– Baz e Greg! – ha detto Anna. – Sono laggiù, sorridono, o meglio sghignazzano, di noi. Devono aver visto tutto!

Imbarazzata io? Ma no, sarei solo voluta morire!

9 Unghie da STAR!

Baz e Greg sono stati odiosi con le loro domande. Come cavolo avevamo fatto a essere scambiate per ladre? E cosa ci facevamo in Oxford Street se non avevamo soldi? Forse eravamo lì per quello che era successo a Frankie?

Ci hanno seguito in metropolitana e hanno continuato a tormentarci. Sono saliti sul nostro stesso treno e hanno proseguito anche lì. «Ah, ah» ridacchiavano continuamente. Io e Anna ce ne stavamo lì sedute, non parlavamo nemmeno tra noi anche se lei a un certo punto ha alzato un sopracciglio quando i due si sono seduti di fronte a noi e hanno continuato a ridere. Più ci tormentavano, più noi ci innervosivamo. Avrebbero raccontato tutto a tutti, a scuola? Quella, sì, sarebbe stata una tragedia.

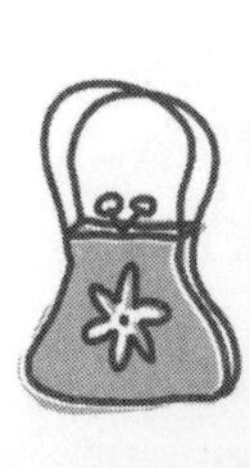

Quando siamo arrivate alla nostra fermata, dove dovevamo cambiare e prendere l'autobus, Greg e Baz hanno continuato a seguirci.

– Pensate di comprare il biglietto dell'autobus? – ha chiesto Greg con una faccia furbetta. – O pensate di viaggiare a sbafo?

Erano come due bambini, ridevano da soli alle loro stesse battute. Ero furiosa.

– Tanto per cominciare noi non siamo ladre, ok? – ho urlato. – È stato un errore!

– Oh-oh! – ha detto Baz ammiccando.

– E comunque, – ho continuato – voi cosa ci facevate nel reparto di abbigliamento femminile?

Hanno smesso subito di ridere. Dovevo averli punti sul vivo.

– Vai così, Beth! – mi ha incoraggiato Anna.

– Forza – ho detto pretendendo una risposta. – Cosa stavate facendo in quel negozio? Non vedo molte borse, trovato niente?

– Ah! Ho capito! – ha sorriso all'improvviso Anna, che cominciava a comprendere il gioco. – Anche voi eravate lì nella speranza d'essere notati da uno scout per modelli... vero?

– N-no... – ha farfugliato Baz, ma una vampata rossa gli ha colorato subito le guance.

– Stavamo solo guardando cosa ci fosse in quel

reparto –. Greg cercava disperatamente qualcosa per giustificarsi.

– Sì – ha risposto Baz tentando di reggere la parte. – Tra poco è il compleanno di mia sorella. Stavamo cercando delle idee per il suo regalo.

– E magari cercavate anche di farvi notare da qualche agente della moda? – ho detto.

Baz e Greg negavano, ma non ridevano più.

– Beccati! – ha detto Anna soddisfatta. – Lasciamoli perdere, Beth, e andiamo a casa!

Siamo saltate sull'autobus e li abbiamo lasciati lì.

A casa di Anna abbiamo ripreso in mano la lista e abbiamo deciso di farci dei trattamenti di bellezza. Avevo avuto un'idea per delle decorazioni sulle unghie e abbiamo stabilito che io avrei fatto le mani ad Anna mentre lei mi faceva i piedi. Nel frattempo ci saremmo messe una maschera sul viso.

– Ho trovato questa in bagno – ha detto lei sventolando un tubo di una cosa che si chiamava "Pelle Nuova".

– Cos'è?

– Boh, non so, una maschera per la faccia – ha risposto. – Sull'etichetta c'è scritto che ti ridona la luminosità che la natura ti ha tolto. Non sembra male.

– A me va bene – ho detto. – Ma tua mamma non si accorgerà che gliel'abbiamo presa?

– Ma va! – ha riso Anna agitando il tubo. – È piena, e poi non ne useremo tanta, no?

– Allora, cosa dobbiamo fare? – ho preso la confezione e ho letto l'etichetta. Dovevamo solo spalmarci quella cosa, lasciarla asciugare e poi toglierla, e avremmo avuto una pelle rigenerata. – Mi fa un po' impressione! – ho detto. – Lo faccio prima io?

– Ok, però non ti scordare di struccarti prima! – mi ha ricordato Anna.

– Come se non lo sapessi – ho risposto un po' offesa, mentre prendevo le salviettine imbevute dal comodino di Anna.

Dopo aver applicato la maschera, che era viscida e verdognola, ci siamo dedicate alle unghie. La nostra idea di farcele a vicenda è subito fallita perché, naturalmente, ci siamo accorte che era impossibile. Quanto meno perché Anna non poteva certo fare le mie nello stesso momento in cui io facevo le sue, non so se capite cosa intendo. Alla fine, perciò, abbiamo deciso di alternarci, una mano, un piede, mano, piede. Ho cominciato con le pellicine di Anna, seguendo le indicazioni che avevo trovato su una rivista.

– Ahiaaa! – si lamentava Anna mentre le pulivo il sotto delle unghie. – Mi fai male!

– Non posso mica lasciare lo sporco, non credi? – ho esclamato.

– Ok! – ha protestato lei. – Ma credo che sotto ci sia la pittura della lezione di arte, non dello sporco.

– E va beh – ho detto. – Qualunque cosa sia, non posso lasciarla lì, rovinerebbe il mio lavoro. Non dovremmo toglierci le maschere tra un po'?

– Mah, non credo sia importante rispettare i tempi – ha detto Anna. – E poi diventa un po' difficile togliersi la maschera con lo smalto fresco.

– Hai ragione – ho confermato. – Ci conviene levarle dopo.

Mi sono davvero divertita a decorare le unghie di Anna. Ho fatto tanti puntini su ogni unghia: la base era blu scuro e i puntini sembravano stelline. Era un lavoro meticoloso, Anna però era contenta di lasciarselo fare. Quando i puntini mi sono sembrati pronti e asciutti ho passato un'ultima mano con uno smalto trasparente per proteggere le unghie e dare loro luminosità.

– Devi aspettare fino a che non saranno completamente asciutte – l'ho avvisata. – Altrimenti si rovinano.

– Perfetto – ha risposto Anna. – Non hai voglia di scendere a fare del tè mentre aspettiamo?

– Ah, ah, molto divertente – ho risposto. – Non penserai che abbia voglia di girare per casa tua con questa cosa sulla faccia, vero?

– Hai ragione – ha ridacchiato Anna.

Siamo rimaste lì, in attesa, ascoltando un Cd e sfogliando delle riviste. Io avrei anche potuto togliermi la maschera, ma volevo aspettare di farlo con Anna.

Dopo un po' qualcuno ha bussato alla porta. Perché la mamma di Anna arrivava sempre quando eravamo impegnate?

– Chi è? – ha chiesto Anna.

– Io! – ha risposto Joey. – Volevo solo sapere se vi va qualcosa da bere.

E prima che Anna potesse dire qualunque cosa, è entrato.

– Cosa state combinando, adesso? – ci ha chiesto guardando le nostre facce.

– Ci sistemiamo le unghie – ho risposto serenamente, come se la poltiglia sulla nostra faccia fosse stata invisibile.

– Ah, certo, – ha risposto Joey, poi ha sorriso e non ha detto niente delle maschere. – Allora, volete del tè?

– Sì, grazie, per tutte e due – ha ordinato Anna. – Ci vediamo tra un attimo.

– Perfetto.

Joey è uscito richiudendo la porta.

– La nostra solita figuraccia, – ho detto, quando ho ricominciato a respirare.

– Ma è solo Joey! – ha esclamato Anna senza dargli importanza.

– Ma abbiamo una schifezza verde in faccia! – ho protestato. – Se mio fratello ci avesse visto così ci avrebbe preso in giro per tutta la vita!

– Come ho detto, – ha sospirato Anna – è solo Joey, non c'è da preoccuparsi.

– Beh, – ho detto – io la mia me la levo.

Ho tirato la pellicola verde che si era asciugata ed era diventata trasparente e sembrava di plastica. Si è staccata senza problemi. Anche Anna si è tolta la sua e, per fortuna, abbiamo finito appena in tempo per quando Joey è tornato in camera.

– Wow! – ha esclamato Joey quando, passandoci le tazze, ha notato le unghie. – Sono davvero molto belle!

– Grazie.

– Belle, eh? – ha detto Anna muovendo le dita per mostrare tutta la loro luce. – Beth potrebbe trovarsi un lavoro da manicure.

– Beh, grazie – sono arrossita.

– Caspita! – ha detto Joey. – Anna, non è una che fa complimenti a chiunque.

– Mah, va beh – ha detto sua sorella con sarcasmo. – Hai bisogno di altro, Joey?

– No – ha risposto. – È meglio che vi lasci sole. Joey si è chinato verso di me e mi ha messo la mano tra i capelli. Sono arrossita immediatamente e non sapevo cosa dire. Cosa stava facendo?

– Joey! – ha gridato Anna. – Cosa stai facendo?

– Sto solo eliminando l'ultimo avanzo di maschera – ha detto lui, togliendo un pezzo verdognolo da dietro le mie orecchie.

Adesso ero davvero rossa come un peperone. – Grazie – ho risposto sussurrando.

Poi Joey se n'è andato, senza battute. Senza ridere. Anna non aveva idea di quanto fosse fortunata. Mio fratello non si sarebbe mai comportato così.

10 Tra lattine e bottiglie

Devo dire che la faccenda delle unghie era andata piuttosto bene. Non sono niente male a fare le mani e mi sono molto divertita a sistemare quelle di Anna. Anche lei non è male, infatti ha disegnato una piccola margherita su ognuna delle mie unghie dei piedi.

Purtroppo per lei, però, sua mamma si è arrabbiata moltissimo perché, quando è entrata in bagno per farsi la maschera, non l'ha trovata. Quando poi l'ha vista, dimezzata, pare sia impazzita. Non che Anna si sia preoccupata troppo. Persino io certe volte non riesco a capacitarmi di quanto sia sempre tranquilla.

Abbiamo trascorso la domenica in camera mia: ci siamo fatte i trattamenti per capelli che mi aveva

dato Nick. Tutte e due ci siamo ritrovate con dei bellissimi capelli lucidi e con un bell'aspetto sano, e per una volta siamo riuscite a non fare figuracce con nessuno.

Abbiamo anche ripassato un po' la lista. Le unghie erano a posto. Avevamo un lavoro, anche se la parte che riguardava i soldi risparmiati era ancora da realizzare. I capelli erano messi molto meglio di qualche settimana fa, ma c'era ancora da lavorarci. Questione scarpe, abbastanza a posto. Uscire con i due belli della scuola... beh, diciamo che quello era stato un vero disastro ma, tanto, chi voleva più uscire con quei due perdenti?

La settimana dopo l'abbiamo trascorsa in un costante stato di eccitazione per l'avvicinarsi del primo sabato lavorativo. Come avremmo speso i nostri soldi e in quali negozi saremmo andate una volta avuta la nostra prima busta paga?

– Jeans – ha detto Anna molto convinta un giorno. – Mi comprerò i migliori jeans che mi potrò permettere, un modello che faccia sembrare le mie gambe lunghe e magre.

– Scarpe – ho suggerito io. – Scarpe da mettere con i jeans che ho già e che mi facciano sembrare più alta.

Avevamo in testa una lunga lista di cose che desideravamo: trucchi, vestiti, orecchini, altri vestiti, scarpe (tantissime), altri trucchi… tutto, volevamo tutto!

– Cosa ti metti domani per il lavoro? – mi ha chiesto Anna mentre tornavamo a casa venerdì pomeriggio.

– Mah, niente di speciale – ho risposto. – Mi fanno mettere un grembiule, quindi non si vedrà cosa c'è sotto.

– Direi di no – ha convenuto Anna. – Io invece devo indossare la maglietta di Cutting Room come tutti gli altri, e sotto devo mettermi una gonna o dei pantaloni neri… userò qualcosa di mia mamma. E sì, prima che tu me lo domandi, le ho chiesto il permesso!

Ero un po' invidiosa di Anna. Il suo lavoro era molto più interessante del mio. Sarebbe stata da un parrucchiere alla moda, avrebbe lavorato con gente bellissima, aiutando a creare acconciature da sogno… per qualche ragione sistemare lattine su uno scaffale non mi sembrava proprio la stessa cosa.

– Pensa a che fantastico esercizio farai! – ha detto Anna.

– Che esercizio?

– L'allungamento per sistemare le lattine – mi ha spiegato con autorevolezza. – Ti ritroverai con le braccia di Jennifer Aniston. E sarà anche un ottimo esercizio per caviglie e polpacci.

Non avevo pensato a quest'aspetto. Forse avere braccia toniche era sufficiente per tollerare un orrido grembiule...

Alla fine avevo deciso di indossare i jeans con una maglietta. Ma il solo pensarlo era stata un'inutile perdita di tempo. Perché alla fine il capo reparto mi ha detto che la politica aziendale era che non si possono indossare pantaloni sotto al grembiule (per altro di un marronaccio orribile) quindi, mi sono dovuta levare i jeans. E non ci sarebbe stato niente di male se non avessi avuto i calzini invece dei collant. Fantastico!

Quindi la prima cosa che ho finito per comprarmi con i miei primi soldi è stato un paio di calze marroni. Bello eh? NO!

Non avevo preventivato quanto avrebbe potuto essere noioso il primo giorno al supermercato. Prima, proprio come a scuola, mi hanno insegnato a muovermi nel magazzino; poi tutta una sessione dedicata a come si prendono le cose in magazzino e si portano in corsia. Quindi mi hanno spiegato come si riempiono gli scaffali (ma per piacere!). La ricompensa, se farò bene tutte queste cose, sarà di imparare a usare la cassa! Prima però devo guadagnarmelo, dimostrando che sono capace di riempire gli scaffali.

Una lattina di fagioli somiglia moltissimo a tutte le altre quando la metti in ordine. Geniale! Prendi una lattina dal carrello e la metti sullo scaffale. E continui a farlo fino a che lo scaffale è pieno e il carrello è vuoto. Tutto il giorno.

Per pranzo mi sono tolta l'orrido grembiule e sono corsa all'incontro con Anna.

– Allora, meravigliosa creatura – mi ha accolto lei quando ci siamo incontrate al fast-food (avevamo deciso che le patatine erano l'unica cosa che potevamo permetterci per risparmiare i soldi da spendere in qualcosa di meglio). – Raccontami com'è andata.

E le ho raccontato.

– Una gran noia, eh? – ha concluso Anna con aria complice. – Però non può essere sempre così terribile...

– Forse ho esagerato un po'– ho confessato. – Forse è solo una piccola noia, voglio dire, i colleghi sono simpatici, fanno addirittura un po' ridere... e poi comunque è un modo per guadagnare qualcosa. Però dovresti vedere l'uniforme!

Anna ridacchiava.

– Allora, – ho continuato – come è andata la tua mattina?

– Beh… – ha detto Anna pensosa. – In effetti mi sento terrible a dirlo, ma è andata bene, benissimo, anzi.

– Davvero? – ho esclamato. – Sono proprio contenta per te. – Ero sincera. – Cos'hai fatto?

– Mi hanno insegnato a fare lo shampoo, intendo come si deve, con il massaggio della cute alla fine – ha detto Anna dandosi un aria da parrucchiera professionista. – Nicky dice che ce l'ho nel sangue.

– Oh, Nicky dice così? – ho sorriso.

Anna è arrossita. – Ehi, devi ammettere che è carino da morire.

– Lo so – ho detto guardando l'orologio. – Forza, finisci le tue patatine e raccontami tutto, veloce. Oggi pomeriggio ho un sacco di scaffali importanti da sistemare!

È incredibile quanta gente faccia la spesa il sabato pomeriggio, e quanto cibo compri per rimpinzare le famiglie. Appena finivo di riempire uno scaffale ce n'era subito un altro vuoto ad attendermi.

Nel pomeriggio ho lavorato sugli scaffali dei cereali per la colazione. Emozionante, no? Sembra che alla gente i cereali non bastino mai! Almeno, però, le scatole sono più leggere delle lattine.

Sarà stato per i cereali e per la gente che non smetteva di prenderne, ma il pomeriggio è passato più velocemente della mattina.

Il momento migliore naturalmente è stato quando mi hanno dato lo stipendio. Ho messo i soldi immediatamente nella borsa e ho chiuso l'armadietto a chiave. Accidenti!

Ragazzi, certo che però alla sera i piedi mi facevano proprio male! Ho lanciato via le scarpe appena sono entrata in casa, non potevo credere che mi potessero fare così male!

– IIHH! Che puzza! – ha gridato il mio orribile fratello appena mi sono buttata sul divano. Ha afferrato un cuscino e se l'è messo sulla faccia.

– Beh, grazie! – ho detto, poi però sono arrossita quando mi è arrivata una zaffata dai miei piedi.

Aveva ragione, in effetti puzzavano. In tutta fretta mi sono rimessa le scarpe e sono andata in cucina.

– Basta Will – ha detto mia mamma guardandomi con affetto. – Come è andata la tua giornata, tesoro?

– Ok – ho risposto. – Ho lavorato un sacco. Ma è andata bene. Ho bisogno di un tè, però. Ne vuoi uno anche tu?

– Ti do una mano – ha risposto mia mamma, e mi ha seguito in cucina.

Dopo aver chiacchierato con lei per un po' sono andata a farmi un bel bagno. Mi sono letta una rivista mentre mi crogiolavo nell'acqua calda e piena di bolle. Peccato che la rivista mi sia caduta di mano e si sia inzuppata perché ero troppo assonnata.

Cavolo! L'ho appoggiata sul calorifero e l'ho lasciata asciugare.

Poi sono tornata in camera e, avevo appena messo un Cd, quando è suonato il mio telefono: era Anna.

– Sono distrutta! – ha detto.

– Anch'io – ho risposto. – Che senso ha guadagnare dei soldi se poi si è troppo stanchi per spenderli?

Anna ha riso. – Beh, tutti quelli che lavorano il sabato ce la fanno. Forse dobbiamo solo abituarci.

– Hm, hm – ho mugugnato.

– Cosa facciamo stasera?

– Fare? Stai scherzando? – sono sbottata. – Non stai davvero pensando di uscire stasera, vero?

C'è stato un minuto di silenzio. – No, hai ragione. Sono troppo stanca per uscire. Mi guardo un film in TV.

– Anch'io. Ma non t'azzardare a dirlo a Frankie lunedì!

11 La settimana del tatuaggio

Quella sera ero troppo stanca per fare qualunque altra cosa che non fosse guadare la TV. Però ne ho approfittato per farmi una cura di bellezza per le mani che avevo letto su una rivista. Bisognava cospargerle abbondantemente di olio d'oliva e questo le avrebbe rese morbide e sensuali. Mia mamma ha sempre un sacco di olio d'oliva, così ne ho preso una bottiglia e sono salita in camera.

Mi sono sdraiata sul letto, mi sono sistemata un libro sulle gambe e ho versato l'olio sulle mani. Devo ammettere che avevo l'odore di una che stava per essere fritta in padella, però ho pensato intensamente al risultato, e al fatto che questo trattamento era gratis!

Dopo essermi cosparsa d'olio, anche se non ne

avevo usato moltissimo, le mani erano tutte unte e non riuscivo a rimettere il tappo sulla bottiglia. «Non c'è problema,» ho pensato «lo faccio dopo». Questo invece è risultato essere il primo problema.

Il secondo problema è stato girare le pagine del libro. In un attimo me lo sono ritrovata unto come le mie mani. Mi sono concentrata di nuovo sull'idea delle mani morbide e affascinanti.

Era finalmente giunta l'ora di completare il trattamento di bellezza: dovevo scendere, trovare il barattolo dello zucchero e procedere alla fase "esfoliazione". La rivista diceva che se ti metti un paio di cucchiai di zucchero sulle mani e le massaggi come se le lavassi con una saponetta e infine le sciacqui, rimuovi tutte le cellule morte della pelle e questo la rende ancora più bella. Solo, quando sono arrivata alla porta della mia camera, ho dovuto affrontare il problema numero tre: come si apre una porta con le mani unte? Soluzioni: a) facendo attenzione a non sporcare ma con difficoltà, perché non riesci a far presa sulla maniglia, b) sporchi tutto, apri, ma poi devi pulire. Ho scelto la soluzione b.

Per fortuna le mie mani erano davvero più morbide, perché tutte le pulizie che ho dovuto fare dopo sono state davvero noiosissime! Quando sono andata a letto ero stremata.

A me e Anna piace andare in piscina la domenica mattina, perché così evitiamo i ragazzini urlanti che si tuffano senza guardare (e di solito schizzano te!). In genere arrivano con i loro genitori quando noi due ci siamo già cambiate e stiamo andando a bere qualcosa al bar.

Ho raccontato ad Anna del mio trattamento della sera prima e l'ho fatta ridere.

– Però devo ammettere che ne valeva la pena, – ho concluso. – Solo raccomando un po' più di attenzione nell'organizzazione...

– Me lo ricorderò – ha ridacchiato Anna. – Allora, mani morbide e capelli fantastici. Niente male! Beh, – ha detto poi pensosa, mentre appoggiava il bicchiere di aranciata sul tavolino – credo che questa dovrebbe essere la settimana dei buchi alle orecchie e del tatuaggio.

– Credi? – ero un po' scioccata. Voglio dire, una cosa era *pensare* di farsi un tatuaggio. Un'altra cosa era farsene *davvero* uno.

– Beh, ora abbiamo i soldi, no?

– Credo di sì.

– Perciò è deciso – ha concluso Anna. – Domani dopo la scuola andiamo nel salone che c'è in Winchford Road. Ho sentito dire che fanno anche i buchi alle orecchie.

Il giorno dopo, a scuola, Anna era super-emozionata. Non riusciva a smettere di parlare degli orecchini che avrebbe comprato. Stava evidentemente pensando di indossarne un paio diverso ogni giorno!

Anche io avrei voluto essere così felice per il mio tatuaggio. Mi ero fatta i buchi alle orecchie quando ero piccola, e non ricordavo che facessero male. Mia nonna me li aveva regalati un anno per Pasqua, facendo inorridire mamma e papà. Non sapeva infatti che me li avevano proibiti fino a che non avessi avuto quattordici anni... ma ormai c'era poco da fare!

Ora invece, appena riuscivo a interrompere Anna, cercavo di convincerla che non era una buona idea farsi un tatuaggio. Lei però continuava a ripetere: – Perché no? –. E io non volevo ammettere di essere terrorizzata.

– E poi chi vuoi che lo veda? – mi ha detto sull'autobus più tardi, tornando da scuola. – Se lo fai sulla schiena o sulla spalla, la gente non lo vedrà nemmeno.

– Allora forse non ha senso farlo – ho mormorato. Lei però mi ignorava: non potevo sottrarmi al mio dovere.

– Sono certa che devi essere maggiorenne per fare un tatuaggio – ho detto. Ero sicura di aver trovato la scusa giusta.

– Non importa a nessuno, vedrai – ha replicato Anna che era balzata in piedi e aveva schiacciato il pulsante di fermata. – Andiamo! È proprio qua dietro!

– Non posso entrare! – ho detto inchiodata al marciapiede davanti a Skin Art, il centro tatuaggi in Winchford Road. Si riusciva a malapena a vedere attraverso la vetrina, perché il nome del negozio era dipinto in grandi lettere colorate che coprivano tutto il vetro. La porta era un po' rientrante, all'interno di un piccolo antro dove erano esposte le foto dei tatuaggi più belli.

Anche Anna Cuor di Leone sembrava titubante adesso.

– Sono sicura che andrà bene – ha detto, in modo poco convincente. – Questi tatuaggi sono davvero belli, guarda. Guarda questa fenice, è fantastica.

– Forse… però non sappiamo se è pulito, lì dentro, no? – ho protestato.

– Beh, entriamo e diamo un'occhiata.

– Ma poi come facciamo a uscire? – ho continuato, in preda al panico.

– Dalla porta, forse? – ha risposto Anna, con un po' troppo sarcasmo per i miei gusti.

Prima che avessi tempo di pensare ad altre scuse, la porta si è aperta all'improvviso, ed è uscito un cliente.

– Prego, ragazze – ha detto tenendoci aperta la porta.

Non c'era più via di scampo.

12 Tor, il gigante

– Buongiorno, posso aiutarvi?

La voce era roca e profonda, e proveniva da un angolo della stanza. L'interno del negozio era piccolo e scuro. Le pareti erano coperte di foto di tatuaggi. In fondo al negozio c'era una tenda tirata. Molto nera.

– Prego? – ha detto ancora la voce.

– Oh, buongiorno – ho detto, quando finalmente sono riuscita a individuare a chi apparteneva la voce. Era una donna, con lunghi capelli corvini, vestita tutta di nero e con un trucco pesante. Faceva paura. Era immersa in una nuvola d'incenso puzzolente.

– Siete venute per un tatuaggio, ragazze? – ha chiesto.

– No! – ho gridato nel momento esatto in cui Anna diceva: – Sì!

Le ho lanciato uno sguardo assassino. Lei mi ha sorriso con dolcezza e ha chiesto quanto costava la fenice che avevamo visto in vetrina.

Quando la donna ci ha detto il prezzo, abbiamo sussultato. Meglio, ho pensato, un'altra ottima scusa per non farlo.

– Quanto pensavate di spendere?

– Intorno alle quindici sterline.

Noi pensavamo?

– Allora un simbolo floreale – ha detto lei, indicando un cartellone appeso al muro.

– Belli! – ha esclamato Anna.

Un brivido mi ha percorso la schiena. Chi doveva farsi il tatuaggio? Io o lei?

– E questo, Beth, che dici?

Ho osservato il disegno che mi indicava. Era carino, molto. Solo, non ero così sicura di volere un marchio indelebile sulla spalla per il resto della mia vita. Voglio dire, come sta una signora anziana con un tatuaggio? Sai com'è, quando la pelle diventa rugosa. Anche al tatuaggio vengono le rughe? E in quel caso, come si fa a capire che forma aveva se è tutto raggrinzito? Oppure, ancora peggio, se si affloscia? E cosa succede se uno diventa grasso? Il tatuaggio si stiracchia? O si strappa? NO!

– È carino – la voce mi tremava leggermente.

– Tor può fartelo anche subito – ha detto la donna. – Tor? – ha chiamato, in direzione della tenda nera. Il mio stomaco era arrotolato su se stesso. «Ti farà male» mi diceva una vocina in testa. «A tuo padre verrà un colpo» diceva anche.

Volevo girarmi e scappare immediatamente. Poi Tor è uscito dalla tenda, e lì sì che volevo veramente scappare!

Era gigantesco e pelosissimo. Aveva le braccia, il collo e persino una guancia completamente coperti di tatuaggi.

– 'Giorno – ha detto sorridendo. Aveva anche due denti d'oro, che facevano il paio con gli orecchini.

«Fantastico» ho pensato.

– Un simbolo floreale – ha detto la donna al Gigante. – Scusate ragazze, non ho capito chi di voi due lo deve fare.

– Beth! – ha esclamato Anna.

«Grazie cara» ho pensato mentre speravo che la terra mi ingoiasse.

– Andiamo Beth, cominciamo – mi ha detto il Gigante tenendo aperta la tenda davanti a me.

Anna mi ha spinta.

Quello che ho visto dopo non mi ha rassicurato per niente: c'era una specie di poltrona da dentista con accanto una cosa che somigliava a un trapano.

– Quello cos'è? – ho chiesto con la voce rotta dal panico.

– Quello mi serve per fare i tatuaggi – ha risposto il Gigante, poi ha preso l'aggeggio e l'ha acceso. Faceva esattamente lo stesso rumore del trapano del dentista, e aveva persino un ago.

«No, non su di me» ho pensato terrorizzata.

– Scusate – ho detto. – Sto per sentirmi male.

Non era proprio vero, però l'ho detto con una tale convinzione che ho quasi vomitato davvero. Sono schizzata in piedi, ho superato il Gigante, poi la proprietaria del negozio e via, fuori. Non ho più smesso di correre fino a che non sono arrivata a casa.

13 Un pericolo in agguato

Il giorno dopo mi ci sono voluti cinque minuti buoni sull'autobus che ci portava a scuola e mezza tavoletta di cioccolato prima di perdonare ad Anna "l'incidente" del tatuaggio. Stavamo giusto ridacchiando del Gigante quando Frankie e le frakiette sono salite sull'autobus. Anna ha brontolato.

Come al solito Frankie si è guardata in giro per capire chi sarebbe stato il fortunato che oggi poteva sedere al suo fianco. Stranamente, invece di scegliere il solito branco dei ragazzi (a Frankie piace essere corteggiata in ogni occasione e un ragazzo solo non basta), con nostro grande sconcerto, ha puntato verso di noi.

– Beh, ciao – ha detto, regalandoci il più mellifluo dei suoi sorrisi, mentre si sedeva di fianco a noi.

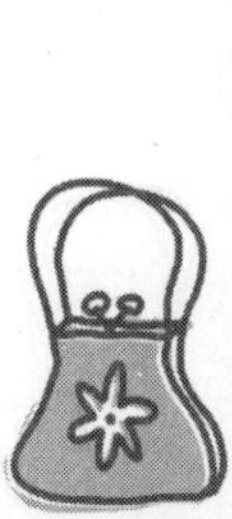

– Ciao Frankie – ha risposto Anna freddamente. – Cosa vuoi?

– Volere? – ha risposto stupita, o fingendo di esserlo. – Cosa intendi con “volere”? – e si è girata a guardare le sue amiche che le facevano cenni di sostegno. – Ho solo pensato che sarebbe stato carino sedersi con voi due. Beth, come stai?

– Bene, grazie

Che cosa cavolo stava succedendo? Voglio dire, per Frankie, io e Anna siamo sempre state in fondo alla scala sociale. Di solito non possiamo nemmeno respirare la sua stessa aria, figuriamoci sederle accanto!

– Allora, non sei gonfia? – mi ha chiesto fermandosi appena prima di toccare il mio braccio. Forse temeva che la mia giacca di H&M non fosse morbida come la sua giacca firmata.

– Gonfia? – le ho chiesto, sinceramente sorpresa. – In che senso?

– Per ieri, dico – ha risposto con un sorriso. – Perché non ci fai vedere?

– Farvi vedere cosa? – abbiamo chiesto io e Anna in coro.

– Ma il tuo tatuaggio! – ha risposto Frankie.

– Che cosa? E tu come fai a saperlo? – ho borbottato. Cos’era, una sensitiva? Come faceva a sapere che avevo anche solo pensato di farmi un tatuaggio?

– Beh, qualcuno mi ha detto che ieri vi ha visto entrare nel centro tatuaggi in Winchford Road – ha risposto Frankie molto compiaciuta. – E mi hanno anche detto che Beth, subito dopo, ne è uscita come una furia, e piuttosto pallida. Quindi ho immaginato che il tatuaggio se lo fosse fatto lei, non tu – ha fissato Anna con uno sguardo di sfida. – Allora, Beth, – ha insistito soddisfatta – ti si è gonfiato?

Come se gliene importasse veramente.

– No, grazie. Tutto bene – ho risposto.

– Oh! –. Frankie era davvero sorpresa. – Ma allora ti sei fatta veramente un tatuaggio?

– Certo – ho risposto con enfasi. Cosa stavo facendo? Perché stavo sprecando il mio tempo per mentire proprio a Frankie?

– Facci vedere! – mi ha chiesto. – Cos'è? Forse il nome del tuo fidanzato? –. L'avevo sorpresa e lei adesso mi rinfacciava di non avere un fidanzato, mentre lei sì.

– Oh, beh, quello non sarebbe molto furbo – ha detto Anna, che si è presa così la sua piccola rivincita.

– Infatti – ho convenuto immediatamente. – È solo un piccolo uccello, sulla spalla.

– Sulla spalla! – ha gridato Frankie, deliziata. – Facci vedere!

Le frakiette hanno cominciato ad agitarsi sui sedili per l'emozione.

– Non mi tolgo certo la maglietta sull'autobus – ho esclamato.

– Ovvio – ha ribadito Anna da vera amica.

– Ma noi lo vogliamo vedere – ha risposto allegramente Frankie guardando le amiche, che hanno ricambiato l'occhiata d'intesa. – Oppure, forse, non è vero che hai fatto un tatuaggio... –. Hanno cominciato tutte a ridacchiare.

– Certo che l'ho fatto – sono scattata. – Te l'ho detto, un uccellino sulla spalla. Ma non ho nessuna intenzione di mostrartelo sull'autobus.

È calato un silenzio imbarazzato, che è stato a un certo punto rotto da Frankie: – Bene – ha detto compiaciuta. – Tanto lo vedremo oggi pomeriggio, alla lezione di educazione fisica.

Anna e io ci siamo guardate preoccupate e siamo rimaste in silenzio per il resto del viaggio.

All'intervallo abbiamo fatto una riunione d'emergenza. Cosa potevo fare? Frankie avrebbe scoperto che non c'era nessun tatuaggio e mi avrebbe preso in giro per sempre.

Improvvisamente però Anna ha avuto un colpo di genio. – Dobbiamo farti un tatuaggio, e io so come!

L'ho guardata terrorizzata: non si aspettava veramente che ci avrei riprovato, vero?

– Non ti preoccupare, Beth! Non intendo uno VERO... possiamo andare in profumeria all'ora di pranzo e prenderne uno di quelli provvisori. Se non lasci avvicinare troppo Frankie sono sicura che non si accorgerà di niente.

Geniale! Cosa farei senza Anna?

Alcune ore dopo, nello spogliatoio delle ragazze, Anna mi ha applicato il tatuaggio provvisorio. Era una colomba, la cosa più simile alla fenice che eravamo riuscite a trovare. Niente a che vedere con il simbolo floreale, però almeno era un uccello, come avevo detto a Frankie.

– Com'è? – ho chiesto, allungando il collo per vedermi la spalla nello specchio sopra i lavandini.

– Beh... non male.

E non era male davvero.

– Quanto credi che durerà?

– Dipende da quanto ti sfreghi sotto la doccia – ha detto Anna. – Sai che credo di volerne uno anch'io? – ha aggiunto, buttando la confezione dei tatuaggi nel cestino.

– Quando vuoi! – ho risposto. – Siamo pronte per fare ginnastica?

– Assolutamente sì! – ha replicato Anna ammiccando. – Non mi perderei la faccia di Frankie per niente al mondo, neanche per un canestro da due punti!

Grazie al suo aiuto sono riuscita a mostrare il tatuaggio a Frankie solo per un secondo. Abbastanza perché lo vedesse ma non perché si accorgesse che non era vero.

Se avessimo avuto più tempo per organizzarci avremmo potuto mettere una garza sulla spalla per fingere che dovesse cicatrizzare, ma adesso che avevo il mio tatuaggio provvisorio non volevo rischiare che si rovinasse. Cominciava proprio a piacermi.

Frankie era così sorpresa che è rimasta muta per almeno cinque minuti. Poi naturalmente ha ricominciato subito ad annoiare tutti con il racconto di un incontro che doveva avere con un fotografo «per preparare il mio book da modella.» Bla, bla, bla. Era irritante, però continuavo a ripetermi che anch'io e Anna stavamo per diventare fantastiche.

Dovevamo solo continuare a seguire la nostra importantissima lista...

Sabato è arrivato velocemente e prima ancora di rendermene conto ero di nuovo al supermercato, con il mio grembiule marrone, a sistemare scatole e lattine. Ero davvero presa dal mio lavoro! Mi sono perfino emozionata quando mi hanno avvisato che nel pomeriggio avrei avuto la famosa lezione alla cassa.

Patetico, no? Io però rimanevo concentrata sulle braccia di Jennifer Aniston e sui soldi che stavo risparmiando.

L'ora di pranzo è arrivata in un lampo e, come al solito, ho incontrato Anna. Oggi avevamo deciso di portarci dei panini da casa.

«È molto più sano» aveva detto Anna.

«E anche più economico» avevo aggiunto.

Ci siamo sedute sulla panchina del parco per mangiare, raccontarci le nostre mattinate e ridacchiare. Abbiamo poi speso la maggior parte della pausa pranzo a fare shopping. In realtà abbiamo solo guardato le vetrine, l'unico negozio in cui siamo entrate per un attimo è stata la profumeria.

– Ci servono le strisce per la ceretta alle gambe – ha detto Anna.

– E la crema autoabbronzante per renderle irresistibili.

– Ho letto in una rivista che le strisce sono mol-

to più facili da usare della ceretta a caldo – ho detto passando alla cassa.

– Pensi che tua mamma ti lascerà dormire da me stasera? – mi ha chiesto Anna. – Così possiamo farci il trattamento.

– Posso chiedere – ho sorriso, contenta all'idea di non avere il mio fratellino tra i piedi. – La chiamo subito!

Cinque minuti dopo era tutto organizzato. Sono passata da casa a prendere le mie cose e poi sono andata da Anna!

14 Abbronzatura e complimenti

Mi piace dormire a casa di Anna. Le mamme degli altri sembrano sempre molto più rilassate della tua. Voglio dire, mia mamma si agita per tutto, mentre quella di Anna dice sempre: «Oh, ok!». Non capisco perché Anna si lamenti di continuo che la stressa. Rispetto alla mia, sua mamma è un angelo!

– Mangiamo la pizza – ha gridato dal piano di sopra quando sono entrata in casa loro. – Di' a Joey quale vuoi, così le ordina per telefono.

Mangiando la pizza abbiamo guardato MTV per un po'. Poi, siamo andate in camera di Anna.

– Serata di chiacchiere su ragazzi e trucchi? – ci ha detto Joey mentre salivamo.

– Davvero credi che abbiamo voglia di parlare di voi altri? – ho scherzato.

– Oh, sì. I rossetti sono molto più interessanti – ha aggiunto Anna ridendo.

In camera sua ho messo un Cd e poi ho preso la confezione di autoabbronzante dal suo comodino. Gambe da urlo, arriviamo!

– Bisogna stenderlo bene vicino alle caviglie, sulle ginocchia e sui gomiti – ho letto. – E non possiamo rivestirci per almeno mezz'ora, per non rimuovere la crema.

– Per fortuna c'è il riscaldamento! – ha riso Anna divertita. – E speriamo che questa volta Joey non venga a tovarci!

– Vuoi cominciare tu? – le ho chiesto.

Alla fine ci siamo spalmate a vicenda. La crema era color caramello (il che era molto utile per capire se era stata spalmata bene) e non aveva un buon profumo, però non ci importava: l'unica cosa che contava era che sembrassimo appena tornate da due settimane in Costa del Sol!

– Perfetto – ha detto Anna quando ha finito di spalmarmi. – Direi che adesso possiamo rilassarci e leggere delle riviste.

Me ne ha passata una e si è buttata sul letto con l'altra.

– NO! – ho gridato. – Non puoi!

– Non posso fare *cosa*? – mi ha chiesto.

– Sederti! Se la crema rimane sui vestiti, allora forse rimane anche sulle lenzuola.

– Oh, cavolo! – Anna è scattata in piedi come una molla. – Mia mamma mi uccide se rovino il piumone nuovo. Uffa, dobbiamo aspettare mezz'ora prima di poterci sedere! Cosa facciamo in piedi tutto questo tempo?

– Non molto! – ho detto e ho cominciato a ridere. Era una situazione grottesca. Eravamo lì, in mutande e reggiseno, con le braccia tese per non toccare niente, e dovevamo rimanere così per mez-z'ora! Più io ridevo e più Anna si arrabbiava. Alla fine però anche lei ha visto l'aspetto comico della situazione, e non riuscivamo più a smettere di sghignazzare.

– Non mi far piangere che poi divento tutta rossa! – ha ululato Anna con gli occhi lucidi.

Alla fine siamo riuscite a vestirci e abbiamo trascorso il resto della serata a chiacchierare, a leggere e ad ascoltare musica.

Eravamo ormai pronte per andare a letto, ma ancora non si vedeva nessun cambiamento di colore.

– Credi che questa roba funzioni veramente? – ho chiesto ad Anna.

– Lo spero bene – ha esclamato. – Con quello che costa!

– Ma non è che si veda tutta questa differenza – ho detto osservando le mie braccia con attenzione.

– È la luce – ha replicato Anna con sicurezza. – Questa luce artificiale non aiuta. Domattina saremo abbronzatissime, fidati.

Incredibilmente Anna aveva ragione. Al nostro risveglio avevamo un aspetto sano e luminoso.

– Ce l'abbiamo fatta! – ho esclamato guardandomi nello specchio grande che c'era nell'armadio di Anna.

– Non male – ha detto lei avvicinandosi. – Proprio niente male.

Solo quando mi sono allacciata i pantaloni, però, mi sono accorta del problema. – Le mie mani! Pensavo di essermele lavata bene e invece sono marroni!

– Fammi vedere – ha detto Anna. – Caspita! È come se tu avessi impastato argilla per una settimana!

Era vero, e puzzavano anche un po'. Che fregatura... Mi ero così impegnata!

– Forza – mi ha detto Anna. – Non ti preoccupare, andiamo a fare colazione, però tieni le mani nascoste!

Joey era già seduto in cucina quando siamo arrivate. – Beh, buongiorno! – ha esclamato alzando lo sguardo da una montagna di pane tostato.

– Cosa c'è? – ha chiesto Anna con lo stesso tono annoiato che avrei usato io con mio fratello.

– Niente – ha risposto Joey tranquillo, senza reagire. Will invece avrebbe cominciato a gridare come un bambino viziato. – Stavo solo pensando che state davvero bene questa mattina. Siete... diverse. Vi siete colorate i capelli? Oppure è il famoso "sonno di bellezza"?

Io sono arrossita, ma per fortuna mi sono controllata e sono riuscita a non toccarmi i capelli: non volevo certo rovinare questo momento sventolando davanti a Joey le mie mani marroncine! Nessun ragazzo mi aveva mai fatto un complimento. Veramente, a pensarci bene, non avevo ricevuto complimenti da quasi nessuno in generale.

– No, non ci siamo tinte i capelli – ho risposto.

– Beh, qualunque cosa abbiate fatto, state molto bene – ha commentato Joey con un sorriso.

– Non hai niente di meglio da fare? – gli ha detto Anna.

Joey ha guardato l'ora e ha risposto: – In effetti, sì. A dopo. È stato bello rivederti, Beth.

– Per fortuna se n'è andato – ha sospirato Anna

innervosita. – Che strazio. Vuoi una fetta di pane o due?

Ho cercato di distogliere lo sguardo dalla schiena di Joey che si allontanava e ho sorriso un po' colpevole. – Ehm, una basta, grazie.

Cosa avrebbe detto la mia migliore amica se le avessi confessato che a me suo fratello piaceva? E che dovevo solo capire *quanto*?

15 Ahia, che male!

– È stato semplicemente FANTASTICO! –. Era lunedì mattina e, al solito, Frankie stava tenendo banco. – Luciano dice che ho il look del secolo. Dice che la macchina fotografica mi adora e che la copertina di "Vogue" è praticamente dietro l'angolo.

Le frakiette erano riunite adoranti attorno a lei, palesemente affascinate da ogni parola che usciva dalla sua bocca.

Ancora prima di sentire cosa stava raccontando Frankie, la scena faceva venire il voltastomaco. Io e Anna allora ci siamo rifugiate nei nostri posti in fondo alla classe.

– Mi sa – ho sussurrato ad Anna – che dobbiamo essere solo contente d'aver perso l'autobus prima… ci siamo risparmiate questa tortura!

Ho soffocato una risatina e ho finto di leggere il mio diario. Volevo sentire tutto del servizio fotografico di Frankie con il celeberrimo "Luciano".

Solo non volevo che si capisse che stavo ascoltando.

– Il mio agente dice che il mio book dovrebbe essere pronto per questa sera – ha continuato Frankie. – Ho dovuto indossare di tutto: abiti da sera, da giorno, sportivi, costumi da bagno... veramente di tutto. Adesso il mio agente dovrà scegliere le foto migliori per il mio portfolio.

– Scommetto che eri meravigliosa – ha sospirato una frakietta sognante.

– Oh, sì – ha sospirato un'altra. – Non vedo l'ora di sfogliarlo!

– Per carità – ha sussurrato Anna, mentre entrava la professoressa Anstey per l'appello. – È un pallone talmente gonfio che non capisco come abbia fatto Luciano a farla stare tutta in un'inquadratura!

– Allora – mi ha detto Anna venerdì pomeriggio. – Credo che stasera dovremmo fare la ceretta. È la prossima cosa della lista. Va bene se vengo da te?

– Direi di sì – ho risposto. Certo un po' mi dispiaceva non poter vedere Joey... – Pensi che farà male?

– No, non molto – mi ha detto. – Comunque…

– Per apparire bisogna soffrire! – abbiamo esclamato insieme ridendo.

Dopo la scuola siamo andate subito da me.

– Buongiorno ragazze – ci ha detto mia mamma appena siamo entrate. – Volete qualcosa da bere?

– Grazie, signora Clarkson – ha risposto Anna, un po' troppo gentile per i miei gusti. – Lo gradisco molto.

Mia mamma si è illuminata e ha messo il bollitore sul fuoco. – Raccontatemi, cosa avete fatto oggi a scuola?

– Non molto – ho risposto io.

– In realtà moltissime cose – ha detto Anna come se fossimo state in gita a Parigi.

Così le ha raccontato tutta la nostra giornata nei minimi dettagli (io ho aperto a malapena bocca). Praticamente le ha riferito anche quante volte abbiamo respirato.

– Le spiace se portiamo il tè in camera di Beth, signora Clarkson? – ha concluso poi con un sorriso. – Abbiamo un lavoro da fare.

– Certo ragazze – ha cinguettato mia mamma. – Prendete anche qualche biscotto. Così siete a posto.

– *Le spiace, signora Clarkson? Grazie, signora Clar-*

kson! Lavoro, signora Clarkson! – appena siamo arrivate in camera mia ho fatto il verso ad Anna. – Ma dai! Cosa è stata tutta quella scena?

– Privacy – ha risposto Anna strizzandomi l'occhio. – Diciamo a tua mamma che dobbiamo lavorare molto su un progetto per la scuola, e lei è così contenta che ci lascia in pace, dice a tuo fratello di non disturbarci e, per tenerlo lontano, gli permette di guardare la TV tutto il pomeriggio.

Dovevo riconoscerlo, aveva davvero pensato a tutto.

– Allora – ha detto Anna mettendosi subito in azione. – Dove sono le strisce?

– Qui –. Ho sfilato la scatola dal mio nascondiglio segreto sotto il letto.

– Allora, ho letto su una rivista che dobbiamo mettere del borotalco prima della ceretta – ha iniziato lei in tono professionale. – Non mi chiedere perché, ma credo che faccia meno male.

– Male? – iniziavo a preoccuparmi. – *Che* male? *Quanto*?

– Come faccio a saperlo? – ha risposto Anna. – Non mi sono mai depilata le gambe in vita mia!

– Prendo il borotalco dal bagno – ho mormorato, con le farfalle allo stomaco. Le avevo provate solo quando avevo fatto l'esame di pianoforte.

Quando sono tornata in camera ho trovato Anna seduta sul letto con le gambe nude.

– Tieni – le ho detto passandole il borotalco. – Comincia tu, visto che sei già pronta.

– Grazie –. Anna s'è versata una bella manciata di borotalco sulla mano e ha cominciato a spalmarselo sui polpacci.

– Ok –. Ho preso il foglietto dentro la scatola e ho letto le istruzioni. – Dice che devi applicare le strisce nella direzione del pelo, farle aderire bene, poi, tenendo la pelle tesa, strappare in direzione contraria alla crescita. Oh, e devi dare uno strappo deciso. Cavolo, sembra complicato come l'esame di maturità!

– Quante mani pensano che abbiamo? – ha chiesto Anna prendendo il foglio per guardare. – Ehi, perché nelle illustrazioni fanno vedere una che si strappa i baffi?

– Non ne ho idea – ho detto mentre anch'io mi toglievo le calze e cominciavo a cospargermi le gambe di borotalco.

– E perché queste strisce sono così piccole...? – ha chiesto Anna rovesciando il contenuto della scatola sul mio letto.

– Non sono sempre così? –. Non avevo mai visto una striscia di ceretta in vita mia.

– Non secondo la rivista che ho letto – ha riflettuto Anna. – Dovrebbero essere molto più grandi di così. Hai guardato bene la scatola prima di comprarla? – mi ha chiesto.

– Sì... no... mi vergognavo! – ho ammesso. – Ho solo letto quello che c'era scritto sullo scaffale. Non volevo che la ragazza alla cassa sapesse quello che stavo comprando. Non volevo pensasse che avevo delle gambe pelosissime...

– Come se gliene importasse qualcosa dei peli sulle tue gambe!

Anna era esasperata.

– Ok, Ok! – ho detto. – Cosa c'è scritto sulla scatola che avrei dovuto vedere?

– Queste sono strisce per la faccia, imbranata! – ha esclamato. – Per la faccia, per chi ha i baffi! Per quello sono così piccole!

– Oh... –. Sono rimasta a bocca aperta. Ero proprio senza speranza.

– Non c'è problema – ha detto Anna. – Possiamo usarle comunque. Speriamo solo che bastino per fare tutto.

– Possiamo fare solo le tue gambe – ho detto speranzosa, ricordandomi della questione "dolore".

Anna ha sollevato un sopracciglio. – E va beh, comincio io...

– Ahia! – ho gridato quando è stato il mio turno. – Non mi avevi detto che faceva *così* male!

Anna doveva aver stretto i denti quando le avevo depilato le gambe, perché non aveva emesso neanche un suono.

– Niente piagnistei! – mi ha detto dopo aver sistemato una seconda striscia adesiva sul mio polpaccio e strappato. Forse era il suo modo di vendicarsi per il mio acquisto sbagliato.

– Aaaahhiiiaaaa! – ho gridato. – Dimmi la verità, ti stai divertendo, eh?

– Zitta e lasciami lavorare.

– Non hai ancora finito?

– Ho detto zitta e lasciami lavorare!

Alla fine mi sono messa il cuscino sulla bocca per nascondere le mie grida.

– Fatto! – ha detto alla fine trionfante. – Ho esaurito le strisce, finché non ne compriamo altre non posso continuare.

– Perché non mi hai detto che faceva così male? – ho mugugnato massaggiandomi le gambe.

– Se te l'avessi detto non me l'avresti lasciato fare – ha ribattuto lei sogghignando. – Allora, cosa dici?

Ha sollevato al gonna e mi ha mostrato le sue gambe. Erano rosse, a puntini e a righe.

– Tu, cosa dici? – ho chiesto. Non ero sicura che si fosse resa conto...

– Credo che dovremmo mettere un po' di crema per idratarle – e ha afferrato un tubo di crema dal mio comodino. – Ah, molto meglio. Ma...

– Cosa?

– La mia abbronzatura!

– Cosa c'è?

– Con la ceretta hai strappato l'abbronzatura!

– Non è vero! – ho risposto.

– E allora dove è finita? – ha chiesto inquisitoria.

Ho guardato le sue gambe. Ops! Non solo erano a puntini e gonfiette, ma sotto i puntini rossi c'erano delle strisce bianche.

Ho controllato le mie... Ri-ops!

– Questa è una tragedia! – ha urlato Anna. – Non solo abbiamo le gambe tutte a chiazze, ma abbiamo anche tolto la nostra fantastica abbronzatura!

– Almeno tu le hai chiazzate ma depilate – le ho fatto notare. – Le mie sono chiazzate, rosse e depilate solo a pezzi!

16 Un incontro da dimenticare

Fino al giorno della depilazione mi ero avventurata nel freddo senza calze, ignorando le lamentele di mia mamma. Avevo delle gambe meravigliosamente abbronzate e dovevo coprirle? Tanto più che Frankie non riusciva a smettere di guardarle. Adesso però, dopo l'esperienza con la ceretta, avevo ricominciato a mettermi le calze, le più pesanti che avevo. Non volevo assolutamente che qualcuno, soprattutto Frankie, vedesse il disastro che io e Anna avevamo combinato.

Per fortuna non se n'è accorto nessuno, anche perché Frankie aveva ricominciato a tormentare tutti con le storie del suo servizio fotografico.

– Sai una cosa? – mi ha detto Anna oggi in mensa, nel posto più lontano possibile da Frankie e dalle frakiette. – Quasi quasi spero che le offrano un lavoro a Parigi o a New York, così forse la smettiamo con questa tortura.

– E se le offrono un lavoro pazzesco? La sua faccia ci tormenterebbe da ogni autobus! – le ho fatto notare.

– Hai ragione... –. Anna ci ha pensato un secondo. – Almeno, però, non l'avremmo sempre sul collo! Vabbè, lasciamo perdere quel pallone gonfiato – e ha preso un foglio dalla tasca. – La nostra lista è molto più importante. Tra poche settimane è il mio compleanno, ricordi?

Come facevo a dimenticarmene? Ben presto anche io avrei compiuto sedici anni!

Anna ha steso il foglio tra i nostri due piatti, e l'ha studiato.

– I capelli e il lavoro sono a posto – ho detto, mentre prendevo una bella forchettata di insalata russa.

– Quanto alle gambe, abbiamo combinato un vero disastro invece – ha mormorato Anna.

– Non nominarlo nemmeno! – ho esclamato massaggiandomi i polpacci, che mi facevano ancora male al solo pensiero della ceretta. – Le unghie invece sono venute bene.

– Giusto – ha confermato Anna. – Ti ricordi, vero, di idratarle ogni sera?

– Certamente. Guarda!

Avevo dedicato un sacco di attenzioni alle mie unghie. Prima mi preoccupavo di tagliarle solo quando era strettamente necessario. Adesso invece le tenevo regolate con la lima, mettevo la crema ogni sera e, addirittura, le lucidavo. In una dei milioni di riviste che Anna e io avevamo letto da quando eravamo in missione-sedici anni, c'era un articolo che diceva che le unghie "sono gioielli, non strumenti".

Leggendolo, in un primo tempo avevamo riso, ma ora ne eravamo fermamente convinte.

– I ragazzi sono un altro fallimento, persino Baz e Greg – mi sono lamentata.

– Lascia perdere, Beth! – ha detto Anna con un'espressione di disgusto.

– Lo so – ho risposto. – E poi, chi mai vorrebbe uscire con quei due perdenti?

– Effettivamente però abbiamo solo poche settimane per trovare un ragazzo, metterci i nostri vestiti super-trendy e farci una serata da Cheeky Pete.

– Ok – ho detto. – Come facciamo?

Anna ci ha pensato un attimo. – Chi dice che dobbiamo per forza farci invitare fuori? Forse potremmo invitare noi qualcuno!

– Oh, no! – ho protestato. – No e poi no. Assolutamente no!

– Beth Clarkson, sei una pappamolle!

– Non è vero! – ho risposto secca, arrossendo. – È solo che... beh... nessuno mi ha mai chiesto di uscire... e... beh... vorrei che la prima volta non fosse perché ho dovuto fare da sola.

Anna mi ha guardato. Poi ha alzato le spalle. – In effetti, neanche a me hanno mai chiesto un appuntamento. Quindi capisco cosa intendi...

– Dunque, qual è la prossima cosa che dobbiamo fare per diventare così meravigliose che nessuno potrà resistere al nostro fascino?

– Il décolleté – ho risposto indicando il punto sulla lista.

– Mmm – ha mormorato Anna. – Hai la borsa?

– Perché, secondo te la lascio a casa, in balia di quel vandalo di mio fratello?

– Bene, allora – ha sorriso. – Dopo la scuola andiamo da Gammons e ci compriamo dei reggiseni da far impallidire le nostre compagne!

– Ma dai! – ho protestato.

– E va beh, insomma, qualcosa che almeno non ci faccia più sembrare delle tavole da surf.

– Mia mamma non mi comprerebbe mai una cosa del genere – ha detto Anna prendendo uno dei meravigliosi completi di pizzo di Gammons.

Sapevo esattamente cosa intendeva: l'idea che mia mamma aveva dei reggiseni era una larga striscia di cotone con due bretelle elastiche. Per non parlare poi degli slip: Bridget Jones, a confronto, era una vera principiante!

– Sono davvero bellissimi – ha continuato Anna. – Però non sono esattamente quello di cui abbiamo bisogno noi, non credi?

– In che senso? –. Aveva forse deciso di farne una questione di soldi? Non era certo da lei.

– Voglio dire – mi ha spiegato – che probabilmente stanno benissimo a qualcuno che ha già un bel décolleté. Ma se non ce l'hai, non sono certo questi che fanno la differenza.

Avevo capito: – Forse dovremmo cercare qualcosa di un po'... imbottito?

– Buona idea – ha risposto. – Forza, andiamo a vedere di là.

L'unico posto dove mia mamma mi aveva portato a comprare dei reggiseni è il supermercato. Non voglio neanche immaginare quanto sarebbe imbarazzante girare insieme a lei in questo reparto! Mi piaceva da morire tutto quello che vedevo. Colori e stoffe meravigliosi. Alcuni dei reggiseni erano ancora dentro le scatole e sopra le scatole c'erano le foto delle bellissime modelle che li indossavano.

Alcuni promettevano un seno più grande. Altri dicevano che lo avrebbero sollevato fino al mento. Altri invece facevano le due cose insieme. Era difficile capire quale fosse quello giusto per noi.

– Laggiù ci sono i camerini – mi ha fatto notare Anna. – Prendiamo un po' di modelli e proviamoli, così vediamo quale fa l'effetto migliore.

– Ok.

Ci siamo divise per ottimizzare la ricerca. Io ne ho trovati un paio molto carini e del prezzo che potevamo permetterci, persino con gli slip coordinati. Mentre stavo ancora cercando, i miei pensieri sono stati interrotti dalla voce di Anna: – Beth! Ho trovato quello che ci serve, guarda!

Ha attraversato di corsa il negozio nella mia direzione, con una gruccia da cui penzolava qualcosa. Prima di poter capire cosa fosse, ho visto qualcosa d'altro. Qualcuno che mi ha fatto desiderare che la terra si aprisse sotto ai miei piedi e mi risucchiasse.

– Oh, buongiorno, Anna! Beth...

Era il professor Dalton. Il nostro insegnante di geografia, ed era con una donna!

17 Conto alla rovescia

In una classifica dei momenti più imbarazzanti della mia vita questo stava sicuramente nelle primissime posizioni. Voglio dire, incontrare mia mamma o anche mio papà non sarebbe stato peggio che incontrare il signor Dalton proprio mentre Anna sventolava un reggiseno imbottito!

– Buongiorno, professore! – sono riuscita a dire, poi ho preso Anna per un braccio e mi sono fiondata con lei nel primo camerino, veloce come un centometrista alle Olimpiadi.

– Cosa cavolo ci fa qui? – mi ha chiesto Anna, chiudendo le tende.

Mi sono seduta sullo sgabello – È stato troppo imbarazzante! Ci ha visto con i reggiseni! Pensi che quella fosse sua moglie?

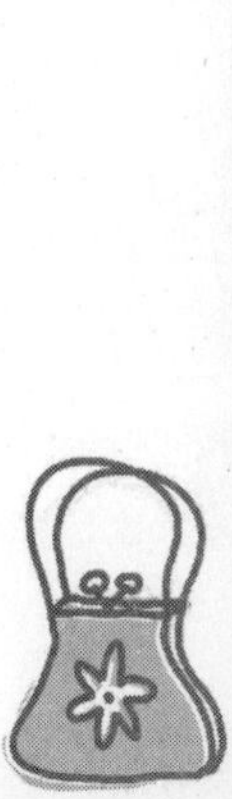

– Forse è la sua fidanzata! – ha immaginato Anna. – Pensa te, il professor Dalton nel reparto reggiseni!

Abbiamo cominciato a ridere. Quando Anna ha ripreso fiato ha detto: – Forse anche lui non è stato proprio contento d'incontrarci qui.

Ho riso di nuovo. La prossima lezione di geografia sarebbe stata *così* imbarazzante!

– Torniamo a noi, cos'ha questo reggiseno di tanto speciale? – le ho chiesto.

– È perfetto – ha detto Anna. Ha sollevato la gruccia per farmelo vedere meglio. – Vedi questo? – indicava un aggeggino che sembrava un palloncino.

– A cosa serve? –. Volevo capire.

– Lo gonfia – mi ha spiegato. – Dentro le coppe ci sono delle tasche d'aria. Le gonfi e puoi avere il seno della dimensione che vuoi!

– Certo che quel coso sotto la maglietta non starà benissimo – ho detto indicando la pompetta.

– Ma no, stupida! Dopo che lo hai gonfiato la togli.

– È geniale!

– Forza, proviamolo!

Dopo un'ora avevamo finalmente scelto i nostri reggiseni. Anna ha comprato quello con la pompetta e io ne ho preso uno con la chiusura davanti che ti consente di decidere quanto stringere per spingere i seni in su. Perfetto per qualcuno come me che non ha esattamente il coraggio di girare con due palloncini pronti a esplodere sotto la maglietta.

– Dovrò nasconderlo – ho confessato ad Anna mentre andavamo a casa.

– Anch'io – ha detto lei. – Mia mamma impazzisce se vede che l'ho comprato.

– Secondo me la mia sarebbe gelosa – ho detto.

– Ma tua mamma è carina per una della sua età, non trovi?

– Davvero lo credi? –. Non avevo mai pensato che mia mamma potesse avere un bell'aspetto.

– Lo so! – ha detto Anna. – Non hai notato come la guarda il professor Portman quando ci sono gli incontri con i genitori?

– Che orrore! Mi fa venire i brividi! –. Il signor Portman era il nostro insegnante di musica e quando parlava con mia mamma diventava tutto carino e sorridente. Era disgustoso!

– Senti, ci vediamo domani – mi ha detto Anna, mi ha sorriso e mi ha dato una pacca sulla schiena. – Devo andare a casa per imparare a gonfiare le coppe!

La settima si è trascinata lentamente. Era cominciato il conto alla rovescia verso la grande data, i nostri mitici sedici anni, e tutte e due eravamo riuscite a tener nascosti i reggiseni agli sguardi curiosi di mamme e fratelli. Una sera abbiamo perfino fatto una maschera all'olio ai capelli. Poi ci siamo ritoccate la ceretta. Era ancora insopportabilmente doloroso ma almeno avevamo comprato le strisce giuste, così il lavoro è stato molto più veloce. In più, abbiamo scoperto che se ti depili da sola, per qualche strana ragione, non fa così male. Fa sempre male, intendiamoci, ma un po' meno.

Abbiamo riprovato l'autoabbronzante, questa volta dopo la depilazione, e abbiamo ottenuto un buon risultato. Avevo letto che se prima ci si massaggia le gambe con qualcosa che gratta, cioè ci si "esfolia" la pelle, l'autoabbronzante si distribuisce meglio e dura di più. Anna ha trovato un sapone perfetto per lo scopo nel bagno di sua mamma: lo abbiamo usato, questa volta però stando attente a non finirlo, così sua mamma non se n'è accorta.

Ormai il mio tatuaggio è completamente scomparso. Così Anna e io abbiamo deciso di farcene un altro la sera prima del nostro appuntamento.

Sì, già, l'appuntamento. C'è proprio da ridere. Al compleanno di Anna mancavano solo pochi giorni, quindi ormai era troppo tardi. Dovevamo riuscire a organizzarci per il mio... peccato che non avessimo ancora trovato nessuno che ci invitasse!

– Ci si sente diverse? – ho chiesto ad Anna la mattina del suo sedicesimo compleanno. Ci speravo davvero.

– Ma, direi di sì... –. Anna però non era convinta a pieno.

– In che senso?

– È difficile da spiegare. È più una sensazione... ora, per esempio, se volessi potrei lasciare la scuola e trovarmi un lavoro a tempo pieno, ho l'età per farlo...

– Potresti anche sposarti – ho aggiunto.

– Esatto, non mi possono più chiamare "bambina".

Io le ho regalato un meraviglioso set di braccialetti. Le sono piaciuti un sacco, tanto che se li è messi subito. Peccato che la professoressa Anstey li abbia notati e l'abbia obbligata a toglierli. È profondamente ingiusto dover andare a scuola il giorno del proprio compleanno.

La sera però abbiamo festeggiato con una cena speciale. Anche se mia mamma non mi ha lasciato dormire da Anna perché il giorno dopo c'era scuola, la serata è stata molto carina: la mamma di Anna è una cuoca straordinaria! C'era anche Joey che

ci ha raccontato moltissime storielle divertenti e ha riso persino Anna.

Quando mia mamma è passata a prendermi è stato piuttosto imbarazzante, mi sono sentita una bambina.

– Ho deciso che domani, con un po' dei soldi che ho ricevuto per il mio compleanno, mi faccio i buchi alle orecchie – ha dichiarato Anna venerdì mattina.

– Dove te li fai? – le ho chiesto.

– Al centro estetico che c'è di fianco al parrucchiere.

– Fanno orario continuato?

– Penso di sì – ha detto Anna. – Cioè, spero di sì. Vieni con me? Non credo d'avere abbastanza coraggio per andare da sola.

– Scusa? –. Non riuscivo a crederci, mi sembrava impossibile che Anna fosse spaventata per i buchi alle orecchie... non si trattava certo di un tatuaggio! – Stai per caso ammettendo di essere un po' una pappamolle anche tu?

– NO, non una pappamolle – ha risposto lei senza guardarmi negli occhi. – Solo non ho un buon rapporto con gli aghi.

– Ma i buchi alle orecchie sono una bazzecola! –

ho detto. – È questione di un attimo, un *clic* e, via, gli orecchini sono già dentro.

– Allora, mi accompagni o no?

– Certo che vengo – ho detto. – E se vuoi ti tengo anche la mano.

– Grazie… però cerca di non ridere di me.

– Figurati – l'ho rassicurata.

Il giorno dopo a pranzo non riuscivo bene a capire se la faccia di Anna era bianca o giallognola. Di solito non stava mai zitta per aggiornarmi su tutto quello che era successo dal parrucchiere dove lavorava. Oggi invece era piuttosto silenziosa.

– Forse potrei anche non farli – ha detto Anna improvvisamente, fuori dal centro estetico. – Voglio dire, in giro ci sono bellissimi orecchini con la clip.

– Non li puoi mettere in piscina, però – ho replicato. – E potrebbero caderti mentre balli da Cheeky Pete.

– Chiudi il becco! – ha esclamato. – Forse mi sta venendo l'influenza. Non credo sia una buona idea farsi bucare le orecchie quando si ha l'influenza.

– Smettila, Anna, sei patetica – l'ho bloccata. – Forza, entriamo.

Una volta dentro Anna era troppo imbarazzata

per protestare a voce alta. – Deve fare i buchi alle orecchie – ho spiegato alla signorina al bancone.

– Scegli gli orecchini che vuoi da questo catalogo, poi chiameremo qualcuno per farti i buchi.

Ne ho indicati un paio con un piccolo diamantino centrale. – Questi sono molto carini, Anna.

– Sì, sono carini – ha risposto lei a denti stretti.

Non avevo mai visto Anna reagire così. Aveva affrontato benissimo anche la ceretta. Ero sconvolta.

– Mi piacciono, solo non so se mi piace l'idea di averli alle *mie* orecchie.

– Vanno bene questi – ho detto alla ragazza. – Non si preoccupi, dopo sarà contenta.

Dieci minuti più tardi Anna aveva due bellissimi diamantini alle orecchie. Era inchiodata alla sedia e sudava freddo. Ho pagato, poi l'ho presa per il braccio e l'ho portata a mangiare qualcosa. Pensavo che se avesse avuto del cibo in corpo sarebbe stato meno facile che mi svenisse tra le braccia.

Pochi minuti dopo infatti era davvero contenta dei suoi orecchini e si guardava riflessa nella vetrine del fast-food.

– Però fanno male! – si è lamentata toccandosi le orecchie.

– Lasciali stare! – ho esclamato decisa. – Devi fare come ti hanno detto e stare molto attenta a tenere i buchi puliti, altrimenti si infettano e allora sì che ti faranno male.

– Ok, ok – ha detto Anna. – Però mi pulsano!

– Passa in pochissimo tempo, vedrai. Sarai così impegnata al negozio che non avrai nemmeno tempo per pensarci.

– Spero che tu abbia ragione. A mia mamma comunque verrà un colpo quando li vedrà. Mi ha sempre detto che dovevo aspettare di essere maggiorenne per fare i buchi alle orecchie.

– Oh, beh, – le ho detto – ormai è troppo tardi. Dovrai solo tenerli nascosti dietro i capelli... per i prossimi due anni!

18 Guai in vista

Anna è riuscita a tenere nascosti dai capelli gli orecchini per alcuni giorni, così i suoi genitori non li hanno visti. L'ha detto invece a suo fratello che le ha risposto che le stavano molto bene e che non avrebbe rivelato niente a nessuno. Mio fratello farebbe mai una cosa così per me? Ma quando mai?!

Anna però non riusciva a lasciar stare le sue orecchie. Le toccava continuamente, la vedevo durante le lezioni. Diceva che era perché le prudevano, ma io sapevo che le prudevano perché lei non le lasciava stare.

Circa a metà settimana, alla fermata dell'autobus, mi ha raccontato che le sue orecchie avevano ricominciato a pulsare.

– Guarda – ha detto spostando i capelli. – Credi stiano bene?

Ho trattenuto il fiato. – Neanche un po'! – le ho risposto. – Che schifo!

I lobi di Anna erano rossi e gonfi, e il piccolo diamantino degli orecchini era come inglobato nel mezzo.

– Beh, grazie tante – ha ribattuto Anna seccata, risistemandosi i capelli.

– Scusa, Anna – le ho detto. – Ma le hai disinfettate ogni giorno?

– Beh, più o meno... – mi ha risposto senza guardarmi.

– Quindi *non l'hai fatto*?

– Eh, è che toccare il retro del lobo con il disinfettante mi faceva stare male.

– Mentre toccarli tutto il giorno con le dita no?

– Credi che dovrei fare qualcosa? – mi ha chiesto preoccupata.

– Credo che dovresti andare in infermeria appena arriviamo a scuola – le ho detto. – Non ti preoccupare, ti accompagno io.

– Grazie, Beth, sei un'amica.

– Beh, ho visto di peggio – ha detto l'infermiera dopo aver guardato e toccato con i guanti i lobi di

Anna. – Credo che per questa volta le orecchie non ti cadranno –. Poi ha notato la faccia spaventata di Anna e le ha detto: – Era uno scherzo! Però dovrai assolutamente tenerle disinfettate oppure togliere gli orecchini e lasciar cicatrizzare il buco.

Poi ci ha lasciate andare, raccomandando ad Anna di tornare la settimana dopo per farsi controllare.

– Visto? Non è andata male – le ho detto, quando siamo uscite.

– Siete state dall'infermiera, eh? –. Era Greg. Aveva uno strano sorrisetto dipinto sulla faccia. Vicino a lui c'era Baz che sghignazzava.

– Niente di grave, grazie – ho detto secca. – E voi?

– Noi non abbiamo niente! – ha risposto Baz. – Sappiamo tutto del vostro problema.

– Che problema? –. Non avevo la più pallida idea di che cosa stessero parlando.

– Lo sapete? – ha chiesto Anna perplessa.

Greg e Baz non riuscivano più a trattenere le risate.

– Non vi preoccupate, non lo diremo a *troppe* persone! – ha detto Greg, con un'espressione maliziosa. Poi se ne sono andati.

– Fantastico! – ha proclamato Anna in tono drammatico. – Adesso tutta la scuola saprà della mia infezione!

– Non è mica niente di che, potrebbe capitare a chiunque – ho cercato di consolarla. – Poteva essere peggio –. Non avevo finito di dirlo che ho visto il manifesto appeso fuori dall'infermeria. C'era scritto che quel giorno, nell'infermeria della scuola, era la giornata per il controllo dei pidocchi. Improvvisamente avevo capito le risatine di Greg e Baz.

– Ehm, Anna, credo che il nostro problema sia appena diventato più grave… guarda!

Era terribile.

Quando, all'ora di pranzo, siamo entrate nel bagno delle ragazze abbiamo incontrato Frankie. È avanzata nella nostra direzione con un'espressione che tentava di dire che era triste per noi, poi mi ha messo una mano sulla spalla. Le frakiette ci hanno circondato e hanno assunto tutte la stessa espressione nauseante.

– Sono così dispiaciuta per la tua situazione – ha mormorato Frankie. – Sono certa che c'è una soluzione… Forse non dovrai raparti a zero… Ci sono degli ottimi shampoo disinfettanti….

– Scusa? – ho detto stranita. – Pensi che abbia i pidocchi?

– Beh, devo ammettere che di tutte le persone che conosco non avrei mai pensato che tu…

Era insopportabile!

– Non ho i pidocchi! – ho urlato.

– E neanch'io! – ha aggiunto Anna. – Se davvero vi interessa sapere cosa c'è che non va, ecco qui! –. Ha spostato i capelli e ha mostrato a tutti i suoi lobi rossi e gonfi.

Frankie ha fatto un passo indietro e ha aperto la bocca come per dire qualcosa. Per una volta era senza parole. Poi l'ha chiusa e l'ha riaperta.

– Ti eserciti a fare il pesce, Frankie? – ho detto. È arrossita. Però non è riuscita a dire nulla.

– Scusatemi, devo andare –. Ho marciato in mezzo alle frakiette e fuori dal bagno. Alla ricerca di Baz e Greg.

– Oh, voi due! –. Anna era un passo dietro a me e non riusciva a trattenere la rabbia. Greg e Baz sembravano un po' nervosi. La loro solita monoespressione, sono-il-tipo-più-giusto-della-scuola, era scomparsa. Erano a disagio, improvvisamente non sembravano altro che un paio di polli.

Anna non aveva intenzione di mollare il colpo. – Perché vi impicciate dei fatti nostri?

– Beh, vi abbiamo viste uscire dall'infermeria, questo è quanto – ha detto Greg arretrando.

– E naturalmente avete raccontato a tutti che una di noi due aveva i pidocchi, eh? –. Non volevo lascia-

re che Anna andasse da sola ad affrontarli. Anch'io facevo parte del pettegolezzo.

– Ne abbiamo parlato solo a Tozer – ha detto Baz in modo alquanto patetico.

– Che, guarda caso, l'ha raccontato a tutto il mondo! – ha gridato Anna. – Forse ora non vi dispiacerà dire a tutti che vi siete sbagliati! L'unica cosa che non va sono le mie orecchie!

Ha sollevato i capelli e ha fatto un giro su se stessa per far vedere a tutti quelli che si erano fermati ad ascoltare.

Il pubblico sembrava divertirsi allo spettacolo di Anna che sbeffeggiava Greg e Baz.

A testa alta, io e Anna ci siamo allontanate.

Anna si è persino messa i capelli dietro le orecchie in modo che tutti vedessero.

All'ora di pranzo eravamo ancora furiose. Dopo la scena all'intervallo, però, nessuno spettegolava più su di noi.

Abbiamo intravisto Greg e Baz seduti ben lontano da noi.

– E pensare che saremmo volute uscire con quei due! – ho esclamato.

– Bleah!

– È un problema, però – ho sottolineato.

– Perché?

– Ci siamo dimenticate di trovare qualcuno per sostituirli.

Cominciavamo a non avere più molto tempo.

– Ed e Tony? – ha proposto Anna.

Facevano parte della squadra di calcio. Non erano male, ma niente di che.

– Non credo abbiano l'aspetto giusto per Cheeky Pete – ho detto.

Anna è rimasta in silenzio per qualche minuto.

– Comincio a credere che tutta questa cosa sia solo una gran perdita di tempo.

Non sapevo cosa risponderle. Aveva ragione, era una vera tristezza.

Sabato avevamo deciso di indossare i nostri nuovi reggiseni per andare al lavoro. Io ero piuttosto soddisfatta del mio e stavo valutando di risparmiare un po' di soldi per andare a comprarne un altro.

Ho incontrato Anna a pranzo. Avevo comprato un po' di insalata al supermercato e stavamo andando a mangiare sulla nostra solita panchina vicino al parco giochi. All'improvviso Anna è inciampata: è riuscita per un pelo a salvare il suo pranzo, ma si è schiantata contro un palo.

– Tutto a posto? – le ho chiesto.

– Sì, sono questi tacchi.

Indossavamo le scarpe con il tacco ogni volta che ne avevamo l'occasione. Eravamo ormai abbastanza brave a camminare, o almeno lo credevamo!

Finalmente siamo riuscite a sederci sulla nostra panchina, abbiamo cominciato a chiacchierare e a organizzare il fine settimana. In quel momento, però, mi sono accorta che c'era uno strano rumore.

– Cos'è? – ho chiesto. – Tu lo senti?

– Ah, sì, è una specie di sibilo...

– C'è una bicicletta? – mi sono chiesta guardandomi in giro. Il rumore era proprio come quello di una gomma che si sgonfia. Ma non c'erano bici in vista.

Poi Anna è schizzata in piedi sulla panchina, terrorizzata. – Cavolo, pensi che possa essere un serpente?

– Non ci possono essere serpenti qui, non credi? – ma anch'io sono balzata in piedi per precauzione. Continuavamo a sentire quel suono.

– Cosa sarà? – ha detto Anna. – È davvero vicino, come se fosse sopra di noi...

Abbiamo alzato lo sguardo e naturalmente non c'era niente.

– Ci siamo sedute su qualcosa?

– Tipo? – ha chiesto Anna. – Ehi, senti. Ha smesso.

Siamo rimaste in ascolto. Aveva ragione. Siamo scese dalla panchina e ci siamo sedute. Per fortuna nessuno ci aveva viste.

– Che strano – ho detto continuando a mangiare.

– Ops! – ha esclamato Anna guardandosi il maglione.

– Ti sei macchiata? Tieni –. Le ho allungato un fazzoletto di carta.

– No, grazie – ha risposto dubbiosa. – Non credo mi possa servire, a meno che non lo infili nel reggiseno...

– Scusa?

– Il sibilo... era il mio reggiseno! S'è sgonfiato da un lato!

Ho guardato Anna. Effettivamente il suo petto era sbilenco, un seno era lì, l'altro no. Ho cercato di non ridere.

– Cos'ha il mondo contro di me, questa settimana? – ha esclamato. – Pensavo che avere sedici anni avrebbe cambiato le cose!

Non sono più riuscita a trattenermi, a quel punto. – Almeno non t'è successo al lavoro – le ho detto ridendo.

Anche lei è scoppiata a ridere. – Ti immagini? Magari mentre lavavo la testa a qualcuno!

– Deve essere successo quando sei inciampata – ho ipotizzato. – Forse hai allentato la valvola.

– Come farò adesso? Non posso certo tornare in negozio così!

Per fortuna il reggiseno di Anna non si era rotto. Si era semplicemente aperto il tappo. Appena arrivata a casa avrebbe rigonfiato il palloncino e tutto sarebbe tornato a posto. Per il pomeriggio, però, ha dovuto imbottire una coppa con la carta igienica.

19 È arrivato il grande momento

– Continuiamo ad avere un problema – ho sospirato quella sera quando mi sono sdraiata sul letto (ero riuscita a convincere mia mamma a lasciare che Anna dormisse da noi). – Come facciamo a trovare qualcuno con cui uscire entro il prossimo fine settimana?

Doveva essere quello della nostra grande uscita da Cheeky Pete. Di lì a due settimane infatti avrei compiuto sedici anni anch'io. Avevo convinto i miei genitori che, per festeggiare adeguatamente, una serata al cinema con il mio fratellino non era in cima alle classifiche della mia idea di divertimento. E loro avevano accettato di lasciarmi andare al ristorante italiano con Anna a spese loro. Da sole!

Eravamo a posto con i capelli, le unghie, il décolleté, le gambe, le scarpe e il tatuaggio. Avevamo persino un lavoro ed eravamo gloriosamente uscite dalla questione buchi alle orecchie. Non avevamo ancora risolto, però, la situazione ragazzi, il punto debole di tutto il nostro programma.

– Non abbiamo speranza! – ho detto con un tono lamentoso. – Non credi che Joey abbia degli amici con cui potremmo uscire?

– Joey?! –. Anna era disgustata. – Joey, mio fratello? Beh, sì, ha degli amici, ma non li ho mai nemmeno guardati. Di solito, quando arrivano a casa, sono coperti di fango e mangiano qualunque cosa ci sia in cucina. E, in ogni caso, sono gli amici di *mio fratello*.

– Era solo un'idea... – ho risposto.

A quel punto siamo rimaste in silenzio ad ascoltare la radio. Dopo un po' Anna s'è tirata su di colpo e ha detto: – A cosa ci servono i ragazzi per andare da Cheeky Pete? Andiamoci lo stesso, da sole!

– Eh?

– Se l'ha fatto Frankie, possiamo farlo anche noi!

– Certo, e come facciamo a metterci tutte carine senza che i nostri genitori se ne accorgano? – le ho chiesto.

– Facile come bere un bicchiere d'acqua! I miei genitori sabato sera sono fuori per una cosa di lavoro di mio papà. Dobbiamo solo convincere i tuoi a farti dormire da me, così ci prepariamo e andiamo da Cheeky Pete! I miei torneranno tardi, e non se ne accorgeranno nemmeno. Sono un genio!

– Pensi davvero che potremmo farcela?

– Certo! – ha risposto Anna.

Era così sicura di sé, che le ho creduto.

Ho cominciato a lavorarmi i miei il giorno dopo. Ho pulito alla perfezione la mia stanza, l'ho riordinata e organizzata. Ho persino dato una mano in cucina, ho aiutato a preparare il pranzo e poi ho fatto il tè a mio papà quando è tornato dalla sua partita di tennis. Ha funzionato. Sabato notte sarei rimasta da Anna!

Abbiamo trascorso ogni minuto della settimana a prepararci. Abbiamo controllato la situazione peli, abbiamo provveduto a un ulteriore trattamento di esfoliazione e abbiamo programmato un'altra serata autoabbronzante per giovedì sera (non volevamo scolorirci troppo presto, no?). Abbiamo fatto altre cure ai capelli per mantenerli lucidi. Le orecchie di Anna sono tornate normali e lei è stata abbastanza coraggiosa da confessare dei buchi a sua mamma. Al momento pare si sia molto arrabbiata, poi però Joey ha preso le difese di sua sorella dicendo che si era dimostrata molto responsabile e che era andata in un centro estetico e non se li era fatti fare da me con un ago. Anna non si rendeva nemmeno conto di quanto fosse fortunata ad avere un fratello come lui!

Per il compleanno di Anna sua nonna le aveva regalato un set per le ciglia e sopracciglia. Dentro c'era un curvatore a caldo che andava usato prima di mettere il mascara ultra allungante. C'erano poi diverse forme di sopracciglia tra cui scegliere, e le mascherine di quelle di gente famosa. C'erano l'arco di Britney Spears, le ali di gabbiano di Kylie Minogue e il ricciolo di Christina Aguilera. L'idea era di scegliere che forma volevi dare alle tue sopracciglia. Poi con una speciale matita segnavi il contorno e strappavi ogni pelo che usciva dalla forma stabilita. Dove invece c'erano degli spazi vuoti li dovevi colorare con una matita speciale. Facile.

Una sera, dopo aver finito i compiti, io e Anna ci siamo dedicate alle sopracciglia. Anna ha scelto Kylie, io invece volevo Britney. Ci siamo fatte l'una quelle dell'altra e, vi dico la verità, farsi strappare le sopracciglia da qualcun altro è molto più doloroso che togliersele da sole. Però ne è valsa la pena…

Alla fine della settimana eravamo in splendida forma. Avevamo anche scelto il look per sabato. Io mi sarei messa i jeans a vita bassa e una T-shirt che avevo modificato con delle paillette. Anna mi avrebbe prestato un bellissimo giubbino di pelle che aveva ricevuto per il suo compleanno. Lei avrebbe indossato dei pantaloni larghi, anche quelli regalo di compleanno, e una polo stretta e senza maniche. Adesso tutto quello che ci serviva erano delle scarpe con il tacco…

Siamo andate a cercarle sabato all'ora di pranzo. Ma anche se avevamo preso tutti i nostri soldi non ce ne potevamo permettere neanche un paio. A dire il vero nemmeno una sola scarpa. E siamo entrate in tutti i negozi di scarpe di High Street! Cominciava a farsi tardi.

A quel punto ho visto un paio di sandali nella vetrina di un negozio.

– Questi secondo me sarebbero perfetti! – ho detto trascinando Anna per un braccio.

– Stai scherzando? – ha chiesto lei.

– Assolutamente no, guarda. – Con enorme entusiasmo li ho presi dallo scaffale. Ok, non erano di

vera pelle. Però avevano un nastrino ed erano lucidi, e molto alti. Ne abbiamo provato un paio a testa, di due colori diversi. Ci andavano bene. E ci *stavano* bene.

– Tutto quello che ci serve ora sono piedi perfettamente curati! – ho esclamato.

– Sai una cosa, Beth? – mi ha detto Anna con un sorriso. – Stai diventando davvero in gamba!

Dopo il lavoro sono andata direttamente a casa sua. Non avevamo un solo minuto da perdere. Prima ci siamo fatte la doccia, poi ci siamo messe una crema idratante con del glitter per rendere la pelle luminosa. Ci siamo asciugate i capelli a vicenda e abbiamo usato la piastra della mamma di Anna per lisciarli. Poi ci siamo fatte le unghie dei piedi, e ci siamo sentite troppo furbe perché lo abbiamo fatto *dopo* aver indossato i pantaloni, così non abbiamo rischiato di rovinare tutto. Con i nostri super reggiseni ci siamo messe le magliette, poi ci siamo truccate, di nuovo *dopo*, per evitare di rovinare tutto vestendoci.

Il tocco finale sono state le unghie delle mani. Abbiamo dovuto aspettare un secolo prima che si seccasse lo smalto ed eravamo terrorizzate al pensiero di rovinarle.

– Forza – ha detto Anna. – Scendiamo a guardare qualcosa su Sky mentre si asciugano.

Mentre eravamo sedute davanti alla TV, perfette, è arrivato Joey.

– Wow! – ha detto, sinceramente colpito. – Non serviva che vi metteste così eleganti solo per me!

– Spiritoso! – ha sbuffato Anna.

– Allora, per cosa vi state preparando? Andate a una festa? Mamma non mi ha detto niente.

– Andiamo da Cheeky Pete – ha risposto Anna.

Ero terrorizzata. Se Joey lo scopriva forse avrebbe cercato di impedircelo. Dovevi essere maggiorenne per entrare nel locale, e Joey lo sapeva di sicuro.

– Dovete incontrarvi con qualcuno? – ci ha chiesto.

– Sì – ha risposto Anna nel momento esatto in cui io ho detto: – No!

Joey ha riso. – Lo prendo per un no, allora.

Anna l'ha guardato e ha detto: – Non dirlo a mamma e papà, eh? Oppure verremo punite e settimana prossima è il compleanno di Beth... Per piacere?

– Non c'è problema – ha sorriso Joey. – Io non lo dirò se non lo fai tu. Siete convinte di andare fino là da sole?

– Non è così lontano.

– No, però vorrei essere sicuro che entriate senza problemi. Se non vi lasciate accompagnare, potrei anche avere la tentazione di fare la spia.

Anna gli ha lanciato un'occhiataccia ma a me non dispiaceva l'idea che Joey si preoccupasse per noi.

Mezz'ora dopo (ci abbiamo impiegato un po' di tempo perché non riuscivamo a camminare velocemente con i tacchi) eravamo di fronte a Cheeky Pete.

L'ingresso era affollato e c'erano taxi e macchine che continuavano ad arrivare. In piedi, di fianco all'ingresso, c'era un tipo enorme con un abito scuro che osservava tutti e non diceva una parola. Ogni tanto apriva la porta e faceva entrare qualcuno.

– Chi è quel tipo? – ha chiesto Anna.

– Il buttafuori – ha risposto Joey.

– Buttafuori? – ho ripetuto. Quante cose c'erano da scoprire... – A cosa serve?

– Controllano che non entri nessuno di "indesiderato"– mi ha risposto Joey. – Oppure chi non è maggiorenne...

– Ah – ho replicato. Improvvisamente mi sentivo molto più piccola di quanto non mi fossi sentita in camera di Anna, mentre ci vestivamo per la serata.

– Volete che vi accompagni dentro? – ci ha chiesto Joey.

– No – ha risposto prontamente Anna. – Stiamo qui un po' prima di entrare. Puoi andare Joey, grazie.

20 Tutto è bene ...

– Non immaginavo che ci fosse gente tanto strana da Cheeky Pete – ho sussurrato ad Anna.

Eravamo ancora nel punto esatto in cui ci aveva lasciato Joey.

– Per come Frankie parla di questo posto, pensavo fosse pieno di persone interessanti – ha aggiunto Anna.

– Le ragazze sembrano un po'… volgari – ho detto guardandone una in particolare che era appena scesa da un taxi con delle amiche. Avevano tutte i capelli lunghi e biondi, e indossavano delle minigonne così corte che ero imbarazzata per loro. Che non sembravano preoccuparsene, però. E neanche i buttafuori, che le hanno accolte con entusiasmo.

Ho notato che uno di loro ha anche abbracciato una delle ragazze.

– Caspita! – ho detto. – Hai visto?

– Gli conviene non provarci con me – ha commentato Anna rabbrividendo solo al pensiero.

Siamo rimaste lì ancora un po' a osservare. Ma non è arrivato nessuno di particolarmente interessante. Poi si è fermata una macchina. L'abbiamo udita arrivare da lontano perché si sentivano rimbombare i bassi dello stereo. Con mio grande sconcerto, ha frenato davanti a noi. Era piena di ragazzi con i capelli molto corti, alla Robbie Williams. Solo, non gli somigliavano per niente.

– Ehi, ragazze – ha detto uno di loro. – Volete entrare con noi da Pete? Vi facciamo passare una bella serata.

Gli altri tre in macchina hanno ridacchiato.

– No, grazie – ho risposto, sperando che Anna, che non avevo guardato, fosse d'accordo con me. Quei tipi erano inquietanti.

– Grazie, ma stiamo aspettando i nostri ragazzi – ha risposto lei velocissima.

– Secondo me aspetterete ancora un bel po' – ha detto il tipo al volante, e tutto il gruppo è scoppiato a ridere prima di ripartire.

– Erano disgustosi! – ha detto Anna guardandomi.

– Tu vuoi ancora entrare? – le ho chiesto dubbiosa.

Anna mi ha guardato e ha detto: – In effetti no. Tu? Insomma, se sono tutti così che senso ha?

– Andiamo, torniamo a casa tua.

– Chi è?

Joey è saltato sul divano quando ha sentito aprirsi la porta. – Ah, siete voi! Per un attimo ho temuto che mamma e papà fossero tornati prima. Cosa fate già a casa?

– Ehm, quando te ne sei andato ci siamo accorte che Cheeky Pete non era un granché – ha spiegato Anna. – E non ce la siamo sentita di entrare.

Joey non ha detto niente. Però la sua faccia parlava per lui. Poi ha chiesto: – Volete del tè?

– Grazie, sarebbe molto carino – ho risposto. – Vengo a darti una mano, solo, prima, fammi togliere questi sandali. Mi stanno uccidendo.

Joey era davvero dolce. Non ci ha preso per niente in giro e non ha parlato del sospetto che non avessimo avuto il coraggio di entrare perché non avevamo l'età.

– Grazie, Joey – gli ho detto quando mi ha dato la tazza. – Davvero.

– È un piacere – ha risposto con il sorriso più carino del mondo.

– Siamo proprio senza speranza – si è lamentata Anna la mattina dopo. Eravamo in camera sua, avevamo in mano un'altra tazza di tè e stavamo sfogliando delle riviste.

– Abbiamo buttato via tutti i risultati raggiunti nelle ultime settimane – ho continuato, scartando un catalogo di vendita per corrispondenza che era ancora incellofanato.

– Pensi davvero che a Frankie piaccia andare in quel posto? – mi ha chiesto Anna.

– Ma tu pensi davvero che ci vada?

– Giusto.

Abbiamo bevuto il tè in silenzio, guardando i cataloghi e sentendoci sempre più depresse per come era andata la serata... avevamo aspettato così tanto!

Improvvisamente ho visto qualcosa di familiare. Terribilmente familiare...

– Oh, cavolo!

– Cosa?

– Beh, guarda tu! – e le ho lanciato il catalogo.

– Accidenti! È lei! È Frankie!

E infatti era lei, tre pagine intere! Indossava dei jeans inguardabili e una banalissima maglietta.

– Non esattamente "Vogue"! – ha riso Anna. – Che bugiarda!

– In realtà, a essere proprio sinceri non ha mai detto che sarebbe stata su "Vogue"...

– No, ma non ha nemmeno mai detto che sarebbe stata su un catalogo di vendita per corrispondenza!

Abbiamo riso di nuovo.

– Improvvisamente l'idea di andare a scuola lunedì mattina mi solletica... – ho commentato sogghignando.

– Vero – ha concordato Anna. – E non mi devo dimenticare di mettere questo nello zaino – e ha buttato dentro il catalogo piena di soddisfazione. – Dai, vestiamoci e andiamo a fare colazione.

Joey era già lì e si stava preparando per andare a giocare a calcio. Mi sono velocemente passata la mano tra i capelli per metterli in ordine. Perché non m'ero messa il mascara? Poi mi sono chiesta perché mi preoccupassi tanto di come stavo quando lo vedevo.

– Buongiorno! – ha esclamato Joey. Aveva davvero un bel sorriso. – State meglio?

Anch'io ho sorriso. – Sì, grazie.

– Tu prepara il caffè, io tosto il pane – ha detto Anna. – Mamma e papà si sono già alzati?

– No – ha risposto Joey. – Quando sono tornati erano quasi le tre.

– Wow! – ha esclamato Anna.

– Vuoi che ti riempia la tazza? – ho chiesto a Joey, e allungando la mano gli ho sfiorato le dita.

– Grazie… – ha detto. – Non è che voi due volete aiutarmi sabato prossimo?

– A fare? – ha chiesto Anna.

– È la serata del quiz di calcio – ci ha spiegato Joey. – Potrebbero esserci comodi due cervelli in più nella squadra. Magari avete voglia di venire…

Anna mi ha guardato e io ho alzato le spalle. – Perché no? – ho detto.

– Grande! – ha detto Joey. – È al club, alle otto.

Finalmente! I sedici anni alla fine sono arrivati! Ho sedici anni, proprio come Anna. Io e lei abbiamo cenato al ristorante italiano. È stato bello. Così come la maggior parte dei miei regali, tranne forse il bagnoschiuma con glitter che mi ha regalato mio fratello. Mamma e papà mi hanno dato un buono per comprare qualcosa da Top Shop, regalo che mi ha rappacificato subito con il mondo. Il problema è che ora che lavoro al sabato pomeriggio devo aspettare le vacanze per poterlo spendere! L'unica cosa importante però è che ho sedici anni.

Sabato, dopo il lavoro sono tornata con Anna, perché dovevamo prepararci per il quiz della sera.

Non ci abbiamo messo neanche lontanamente l'impegno del sabato prima per vestirci, però. E appena abbiamo lasciato la camera di Anna mi sono accorta che mi si era rotta un'unghia.

– È terribile! – mi sono lamentata. – Proprio ora che erano così belle!

– Senti, perché non ti metti quelle finte? – mi ha consigliato Anna. – Ne ho alcune nel comodino.

Erano piuttosto lunghe e rosa fucsia.

– Non pensi che siano un po' sopra le righe per un quiz di calcio? – ho chiesto.

– Pensa alle mogli dei giocatori... No, non lo sono per niente! – ha riso Anna. – Forza, ti do una mano.

Le abbiamo incollate e si sono anche asciugate piuttosto velocemente.

– Ed ecco qui! – ho detto sventolando le mie unghie con orgoglio.

– Forza, andiamo a stravincere!

Il club era piuttosto vicino. Mi ha sorpreso vedere quante persone ci fossero: abbiamo dovuto farci strada tra la folla mentre seguivamo Joey che cercava la sua squadra dall'altra parte del locale.

– Ecco! – ha detto Joey sorridendo. – Sam, questa è mia sorella, Anna, e lei è la sua amica, Beth.

– Vado a prendere qualcosa da bere? – ha proposto Sam.

– Ti aiuto – ha detto Joey. – Voi ragazze sedetevi pure e tenete occupato il tavolo.

– Ehi, è carino – ha commentato Anna mentre lanciava degli sguardi a Sam. – Joey me l'ha sempre tenuto nascosto!

– È veramente molto carino – ho detto. – Ma dov'è il resto della squadra?

– Siamo solo noi, credo – ha risposto Anna. – Una squadra da quattro, Sam, Joey, tu e io...

– Ah – ho risposto sorpresa.

Poco dopo, i ragazzi sono tornati e il quiz è cominciato. È stato davvero divertente. Joey era simpaticissimo. E ho notato che Anna stava flirtando con Sam, al quale, tra l'altro, non dispiaceva per niente. Quando non sapevamo delle risposte, né Sam né Joey ci prendevano in giro. Non abbiamo vinto ma non siamo nemmeno andati così male, e quando il quiz è finito abbiamo chiacchierato un po' prima di andare a casa.

– Vuoi venire a bere qualcosa da noi? – ha chiesto Joey a Sam alla fine della serata.

– Molto volentieri – ha detto Sam, mentre aiutava Anna a mettersi il cappotto.

Anna non gli toglieva gli occhi di dosso.

– Vieni anche tu Beth? – ha chiesto Joey.

Ho buttato un occhio all'orologio – Mi piacerebbe ma devo davvero tornare a casa.

– Oh – ha risposto Joey palesemente dispiaciuto.

– Senti, Joey – ha suggerito Anna. – Perché tu non accompagni Beth a casa mentre io e Sam iniziamo a scaldare l'acqua?

– Buona idea – ha risposto Joey velocemente.

Quindi questo è quello che è successo. Ho dato ad Anna l'abbraccio della buonanotte e poi mi sono avviata con Joey.

– È stata una bella serata, vero? – ha detto Joey.

– Sì, davvero molto carina.

– Meglio della settimana scorsa, allora?

– Assolutamente sì! – ho riso. – È stato terribile.

– Cheeky Pete non è un bel posto – mi ha confidato Joey. – La gente dice che è trendy, ma è solo molto gonfiato. Con dentro della brutta gente.

– Capisco quello che vuoi dire.

– Non voglio che mi fraintendi – ha continuato Joey. – Non è che tu non stessi bene la settimana scorsa, insomma, con il trucco e i tacchi e tutto il resto, però... beh, tu stai bene sempre, anche senza tutta quella roba.

Ero un po' sorpresa. L'ho guardato senza dire niente. Odio ammetterlo, ma mi sa che sono arrossita.

– Non ti ho offeso, vero? – mi ha chiesto Joey. – Voglio dire, stavi davvero bene la settimana scorsa, eri bellissima. Ma stai meglio stasera. E anche Anna.

– Grazie – ho detto. Ero contenta che fosse buio così non si è potuto accorgere di quanto fossi rossa.

Eravamo quasi arrivati al mio cancello quando Joey mi ha detto: – Beth, aspetta. Hai qualcosa nei capelli.

– Oh, no. Cos'è? – mi sono passata le dita sulla testa nel panico. – È un insetto?

– Ferma, ecco qui –. Joey mi ha tolto la cosa dai capelli e me l'ha mostrata alla luce del lampione.

– Cos'è? –. L'ho guardata. – Oh, no!

– Credo sia una delle tue unghie – ha detto Joey passandomela. – Come dicevo, sei carina anche senza.

– Grazie – ho risposto pensando velocemente a qualcosa da dire. – Beh, 'notte Joey, e grazie per avermi accompagnato. Mi sono proprio divertita questa sera.

– Anch'io – ha risposto Joey. – Infatti mi stavo chiedendo se non vorresti uscire anche sabato prossimo.

– C'è un altro quiz? – ho chiesto.

– No, vorrei solo uscire con te... da soli – ha detto Joey.

Mi ha chiesto di uscire... Ho sedici anni e mi hanno appena chiesto di uscire, per il mio primo appuntamento. Cavolo!

Poco dopo, ero seduta sul mio letto ripensando alla serata, quando mi è arrivato un messaggio da Anna.

«Sam mi ha kiesto di uscire cn lui, sono s8sopra!»

Allora ci avevo visto giusto! Le ho risposto: «Grande! Ankio con Joey! :D»

Alla fine siamo riuscite a fare tutte e dieci le cose della nostra lista... Non sarà stato esattamente nei tempi, però poco ci è mancato!

Indice

Della stessa autrice puoi leggere anche:

Caroline Plaisted

Fermate il mondo... voglio scendere!

Amaryllis, quasi tredici anni, ha una famiglia, come dire... imbarazzante! Suo fratello maggiore suona in un gruppo inascoltabile, i *BLEA!*, e il suo fratellino Ugo è un secchione tremendo. Papà è un artista incompreso e la mamma frequenta noiosissimi circoli di poesia...

Ti è piaciuto questo libro?
Allora puoi leggere anche:

Sophia Bennet

Un sogno su misura

Nonie, Edie e Jenny sono amiche da sempre. Nonie ama la moda. Edie vuole salvare il mondo. Jenny ha ottenuto una particina da attrice. Ma quando incontrano una ragazzina africana, rifugiata dall'Uganda, tutta impegnata a disegnare vestiti in un museo di Londra, le tre amiche avranno l'occasione di unire i propri talenti e realizzare qualcosa di davvero meraviglioso...

E.D. Baker

Incantesimi, baci, ranocchi & principesse

Emma non è *esattamente* una principessa modello. Odia vestirsi da principessa e il principe che deve sposare la annoia terribilmente. Ma nello stagno vicino al castello l'aspetta il ranocchio dei suoi sogni e... che avventura tra incantesimi, perfide streghe e pozioni di alito di drago!

Coleen Paratore

Operazione Matrimonio

Willa, dodici anni, si trasferisce a Cape Cod con la mamma. Qui i suoi sogni sembrano avverarsi: trova la sua prima vera amica, conosce un ragazzo carino e, roba da non crederci, la mamma sembra interessarsi al suo vicino di casa!

Elisa Puricelli Guerra

Principesse a Manhattan

Manhattan è un posto speciale, dove le streghe fanno le estetiste, gli orchi sono detective dal fiuto eccezionale, le fate madrine creano modelli di alta moda e le agenzie di collocamento offrono ottimi impieghi a principesse, sorellastre e matrigne.
Ne sa qualcosa Olivia, che un giorno scopre che la sua tata è una principessa…